10653977

Philippe Schuwer et Dan Grisewood

ont créé cette collection.

Brian Williams a écrit ce livre.

Éric Martin l'a traduit, avec les conseils de Daphne Ingram

et de Denys Prache.

Sian Hardy et Odette Dénommée ont coordonné l'édition.

Peter Dennis, Andrew French, Tony Gibbons, Industrial Art,

David Mc Allister, Oxford Illustrator, Lawrie Taylor,

Vincent Wakerly et Graham White ont illustré ce livre

d'après une maquette de Robert Wheeler.

Anne Thomas a assuré le secrétariat d'édition,

Annie Botrel la fabrication,

Monique Bagaïni et Françoise Moulard la correction.

Ma Première ENCYCLOPÉDIE

ISBN 2-03-565196-4

Composé par SCP, Bordeaux.
Photogravé par Scantrans Pte Ltd, Singapour.
Imprimé par Canale, Turin
Dépôt légal : septembre 2005
N° éditeur : 11001989
Imprimé en Italy (Printed in Italy)

En **route !**

Entrons dans ce livre

LES RAILS

LE TRANSPORT PAR MER

DANS LES AIRS

DANS L'ESPACE

Se déplacer

❂ Une rue animée

Regarde comme cette rue est animée ! Un camion apporte sa livraison au poissonnier. Un autobus emmène des gens au travail ou à l'école. Partout autour de nous, des voitures, des motos et des camions transportent personnes et marchandises.

Autour du monde

Ce que nous mangeons vient souvent de très loin. Sais-tu comment les aliments arrivent jusqu'à nous ?

Routes et voies ferrées relient les villes les plus éloignées les unes des autres. De gros cargos traversent les mers pour nous apporter à manger.

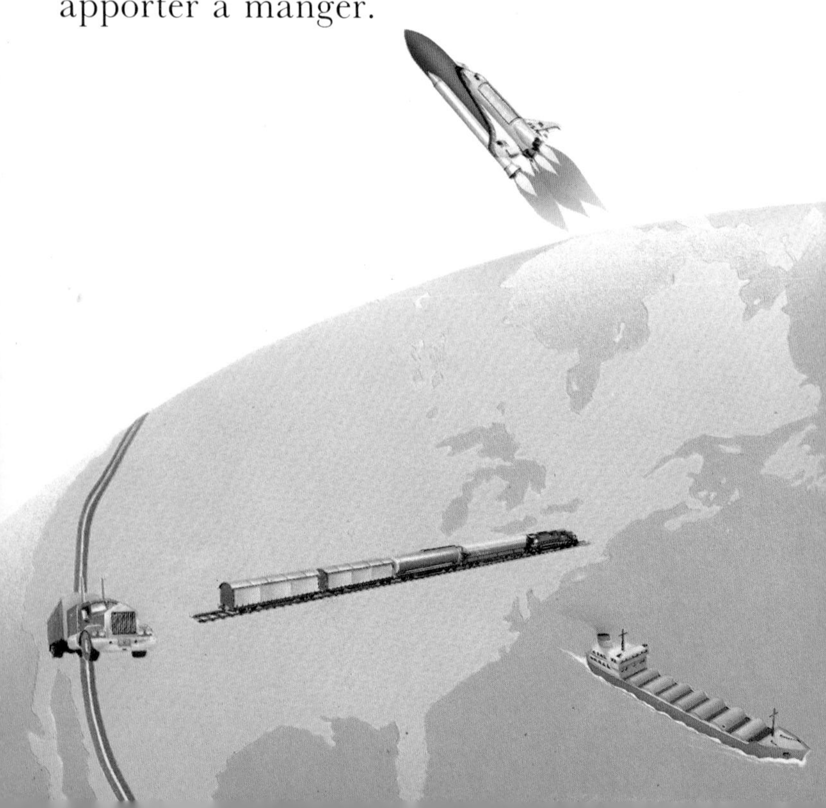

Les avions vont plus vite que les bateaux, les trains ou les camions. Ils transportent surtout des passagers. Un puissant avion fait le tour du monde en un jour et demi seulement. Aujourd'hui, les fusées envoient l'homme même dans l'espace.

La force animale

L'homme ne peut pas toujours se déplacer en train ou en voiture. À certains endroits, le terrain ne le permet pas.

Les chameaux peuvent traverser les déserts brûlants. Les voitures, elles, s'enlisent dans le sable. Dans la jungle, on se déplace sur les cours d'eau en canoë.

Dans certaines conditions, l'homme recourt aux bêtes de somme pour transporter ses chargements.

Tout là-haut, dans les montagnes du Pérou, les hommes utilisent des lamas. En Laponie, ce sont des rennes qui tirent les traîneaux sur la neige.

Sais-tu que...

L'invention de la roue date de plus de 5 000 ans. Ce fut une révolution dans le domaine des transports. Les premières roues étaient faites en pièces de bois assemblées.

La plus longue autoroute du monde est la Panaméricaine. Sa longueur dépasse en effet 24 000 km. Elle commence en Alaska, à l'extrême nord du continent américain, est interrompue en son milieu puis repart jusqu'au Brésil.

Le plus grand parking du monde se situe au Canada, à Edmonton. Il peut accueillir au moins 20 000 voitures.

Vélos

et motos

Un vélo

Bien sûr, lorsque tu appuies sur les pédales de ta bicyclette, tu avances. Mais que se passe-t-il alors ?

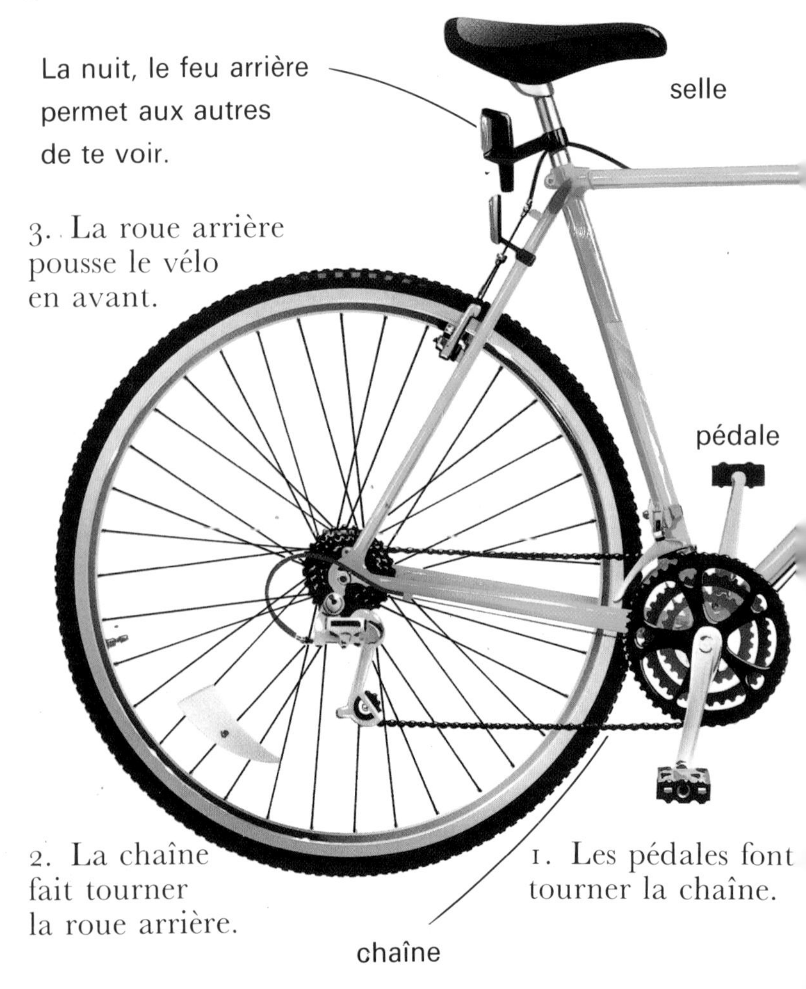

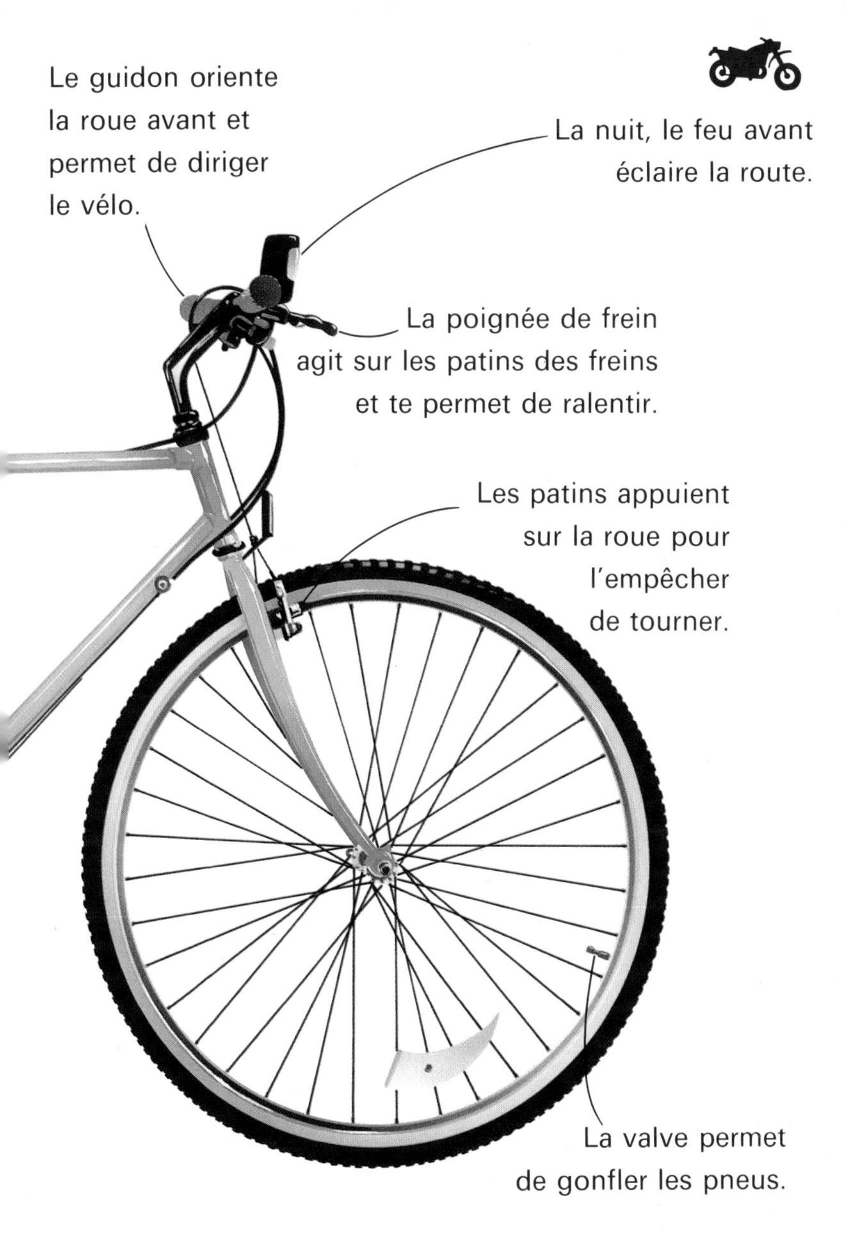
Le guidon oriente
la roue avant et
permet de diriger
le vélo.
La nuit, le feu avant
éclaire la route.
La poignée de frein
agit sur les patins des freins
et te permet de ralentir.
Les patins appuient
sur la roue pour
l'empêcher
de tourner.
La valve permet
de gonfler les pneus.

La sécurité à vélo

Faire du vélo, c'est amusant. Mais, pour rouler en toute sécurité, n'oublie pas de vérifier régulièrement l'état de ta bicyclette. Apprends bien le Code de la route et pense à emporter avec toi les objets que voici :

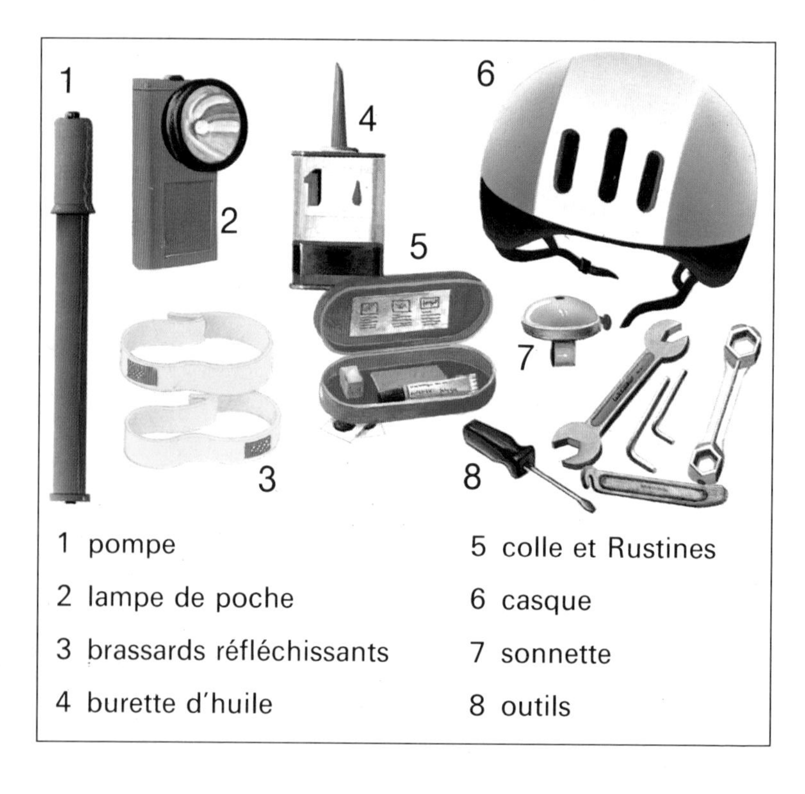

1 pompe
2 lampe de poche
3 brassards réfléchissants
4 burette d'huile
5 colle et Rustines
6 casque
7 sonnette
8 outils

Assure-toi que les patins des freins ne sont pas usés et pense bien à huiler la chaîne.

En cas de crevaison, cherche le trou de la chambre à air en la plongeant dans une bassine d'eau et bouche-le avec une Rustine.

Les premiers vélos

Avant l'invention de la bicyclette, l'homme se servait de drôles d'engins à deux roues.

La draisienne n'avait pas de pédales. On avançait en faisant de grandes enjambées.

Les pédales du vélocipède étaient fixées sur la roue avant.

Grâce à sa grande roue avant, le grand bi, ou araignée, allait très vite, mais était difficile à conduire.

Une, deux, trois roues

Le monocycle n'a qu'une roue,
la bicyclette, elle, en a deux.
Combien en a le tricycle ?
Trois, bien sûr !

Pourrais-tu
garder l'équilibre
sur un monocycle ?

Un tandem
est un vélo
pour deux
personnes.
Celle qui monte
à l'avant le dirige.

Dans certaines villes
d'Asie, les pousse-
pousse à pédales
servent de taxis.

La moto

Une moto est un engin à deux roues « motorisé ». Le moteur entraîne une chaîne, ou un arbre de transmission, qui fait tourner la roue arrière et avancer la moto.

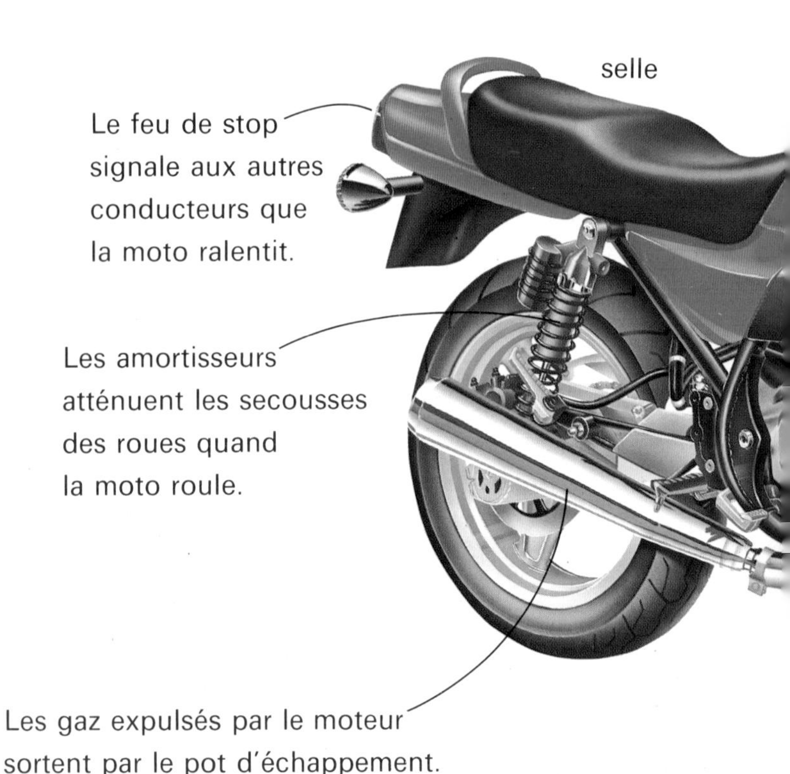

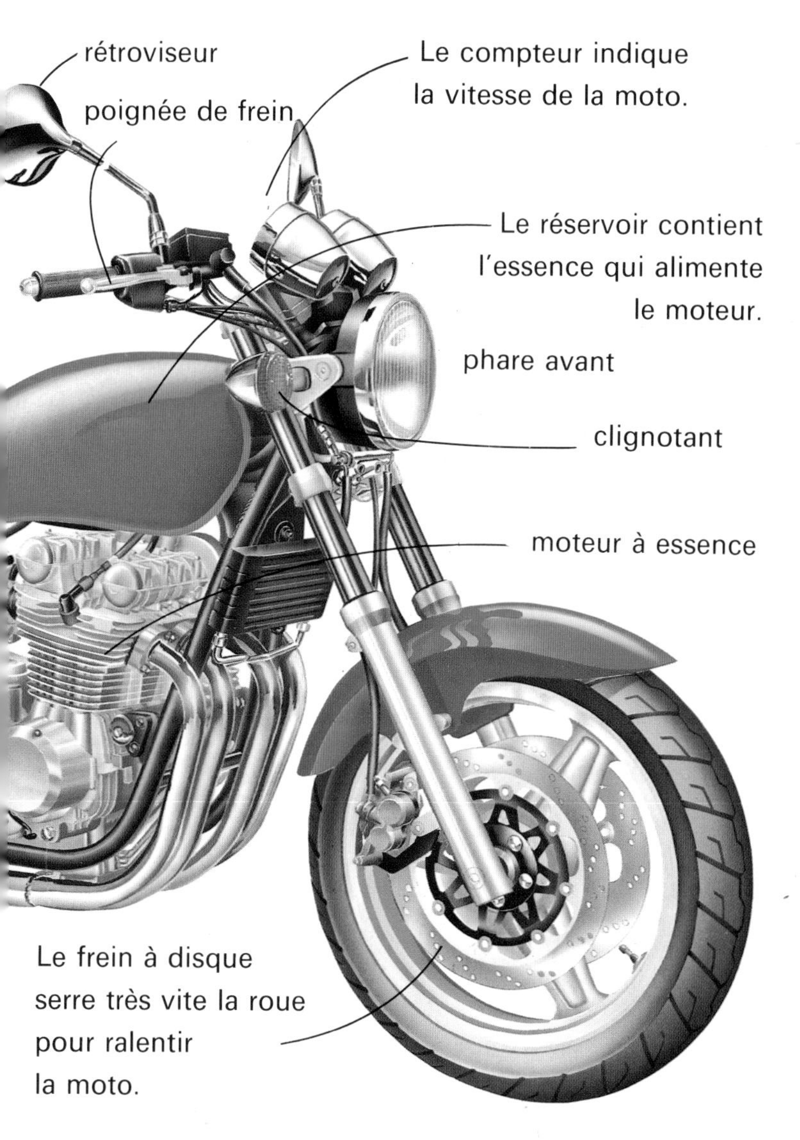
rétroviseur
poignée de frein
Le compteur indique
la vitesse de la moto.
Le réservoir contient
l'essence qui alimente
le moteur.
phare avant
clignotant
moteur à essence
Le frein à disque
serre très vite la roue
pour ralentir
la moto.

Motos pour le travail

Avec leurs motos très rapides, les policiers se faufilent dans les embouteillages et arrivent très vite sur les lieux d'un accident. Un motard de la police peut ainsi ouvrir la voie aux voitures de secours, et demander de l'aide par radio.

D'autres motos

Les vélomoteurs ont
des moteurs plus petits
et moins puissants
que les motos.

La Harley Davidson est
une moto américaine
très rapide. Son
moteur est plus
gros que celui
de certaines
voitures.

Le side-car est fixé à
une moto et permet
de transporter
un passager de plus.

En course !

Les courses de motos et les courses cyclistes ont lieu sur piste ou sur route. Les coureurs conduisent des engins plus rapides que ceux fabriqués en série.

Le Tour de France est la plus célèbre des courses cyclistes. Il dure trois semaines.

Les coureurs de motocross doivent franchir toutes sortes d'obstacles : bosses, rivières...

Sur les dragsters, le but de la course est d'atteindre, en quelques secondes, une vitesse qui dépasse les 300 km/h.

Dans les virages, les coureurs du Grand Prix doivent se pencher pour ne pas perdre l'équilibre.

Sais-tu que...

Les pneus de vélo gonflés à l'air furent inventés par John Dunlop, plus de 20 ans après l'apparition de la bicyclette, vers 1860. Avant, les roues étaient en bois ou en métal. Ce qui manquait de confort !

Avec ses quelque 3 000 km, le Tour de France est la course cycliste la plus longue du monde. Bien sûr, il se fait en plusieurs étapes !

Le record du monde de vitesse à moto est de 512 km/h. Il fut atteint par Donald A. Vesco en 1978 sur une moto qui possédait deux moteurs.

Il est possible de ne rouler que sur la roue arrière. Le motocycliste qui détient le record du monde a réussi à parcourir 233 km sans jamais poser sa roue avant.

Voitures

et camions

Une voiture

Une voiture est formée d'une solide armature en métal, le châssis, recouverte de minces plaques de tôle, la carrosserie. Suis les numéros pour comprendre son fonctionnement.

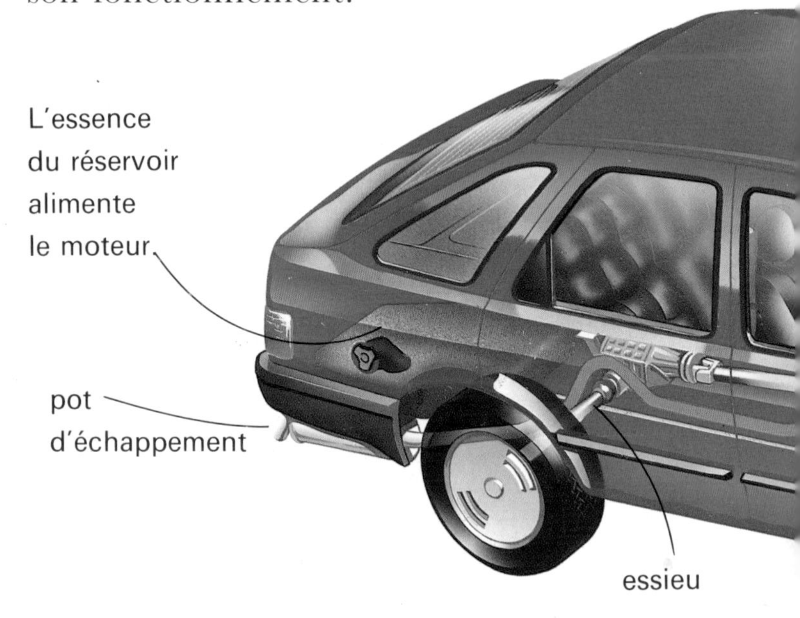

5. Les roues arrière font avancer le véhicule. (Dans la plupart des voitures, le moteur entraîne les roues avant. On parle alors de « traction avant ».)

4. Entraînés par l'arbre de transmission, les essieux font tourner les roues arrière.

1. On tourne la clé pour démarrer le moteur.

2. Des étincelles électriques font exploser le mélange air-essence, provoquant les allers et retours des pistons.

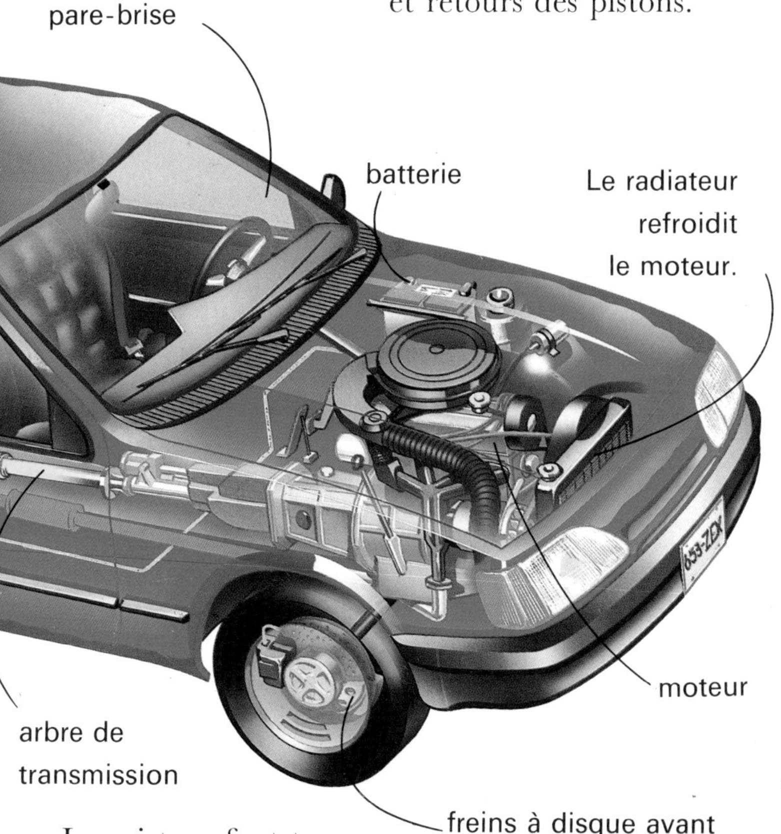

3. Les pistons font tourner l'arbre de transmission.

D'autres voitures...

Les voitures ont des formes, des dimensions et des fonctions très variées.

Un véhicule tout terrain doit être équipé de larges roues.

Il faut un moteur puissant pour traîner une caravane.

Les voitures de sport sont basses et allongées pour être plus rapides.

Dans un break, il y a beaucoup de place pour les bagages. Celui-ci a même une galerie sur le toit.

Les taxis sont au service des particuliers.

Une petite voiture a l'avantage de se garer facilement.

Au volant...

Aux débuts de l'automobile, rouler était une aventure ! Les routes n'étaient pas adaptées et l'on tombait souvent en panne. Il fallait aussi se protéger de la poussière et du froid.

Aujourd'hui, tout a changé. Routes et autoroutes se sont multipliées et les voitures sont rapides et confortables. Mais elles sont si nombreuses qu'elles polluent l'air et provoquent des embouteillages.

Au garage

Une voiture doit être bien entretenue.

Pour rouler, elle a d'abord besoin d'essence. L'huile doit être vérifiée régulièrement ainsi que la pression de l'air contenu dans les pneus. Il faut aussi éviter que la carrosserie ne rouille.

Dans un garage, les mécaniciens entretiennent et réparent les véhicules. Ils contrôlent l'état du moteur et remplacent les pièces défectueuses. Un pont élévateur leur permet de soulever la voiture et de travailler sous elle.

Voitures de course

Les voitures de course sont bien plus rapides que les voitures ordinaires. Elles peuvent atteindre 300 km/h. En faisant pression sur les ailerons, placés à l'avant et à l'arrière, l'air maintient la voiture très près du sol.

Par temps sec, les coureurs choisissent des pneus lisses. Lorsque la piste est humide, ils utilisent des pneus à rainures qui renforcent l'adhérence au sol.

Autobus et autocars

Aux premiers autobus, tirés par des chevaux, ont succédé les tramways se déplaçant sur rails. Aujourd'hui, la plupart des autobus sont à moteur.

Ce bus coloré circule au Pakistan. Il prend aussi des voyageurs sur le toit.

Cet autobus anglais à impériale peut transporter plus de 70 personnes.

Les trolleybus sont des véhicules électriques qui prennent leur courant sur des câbles aériens.

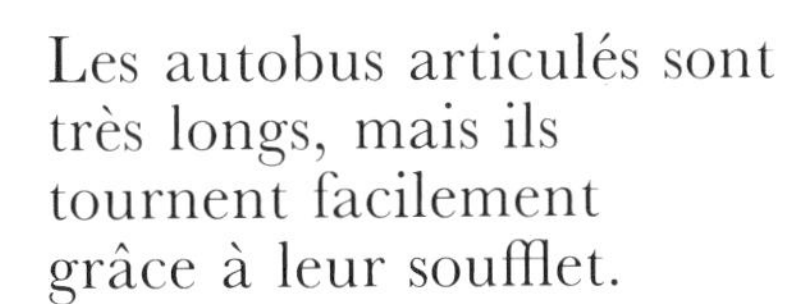

Les autobus articulés sont très longs, mais ils tournent facilement grâce à leur soufflet.

Certains autocars sont aménagés pour les longs voyages.

Un semi-remorque

La remorque contient le chargement.

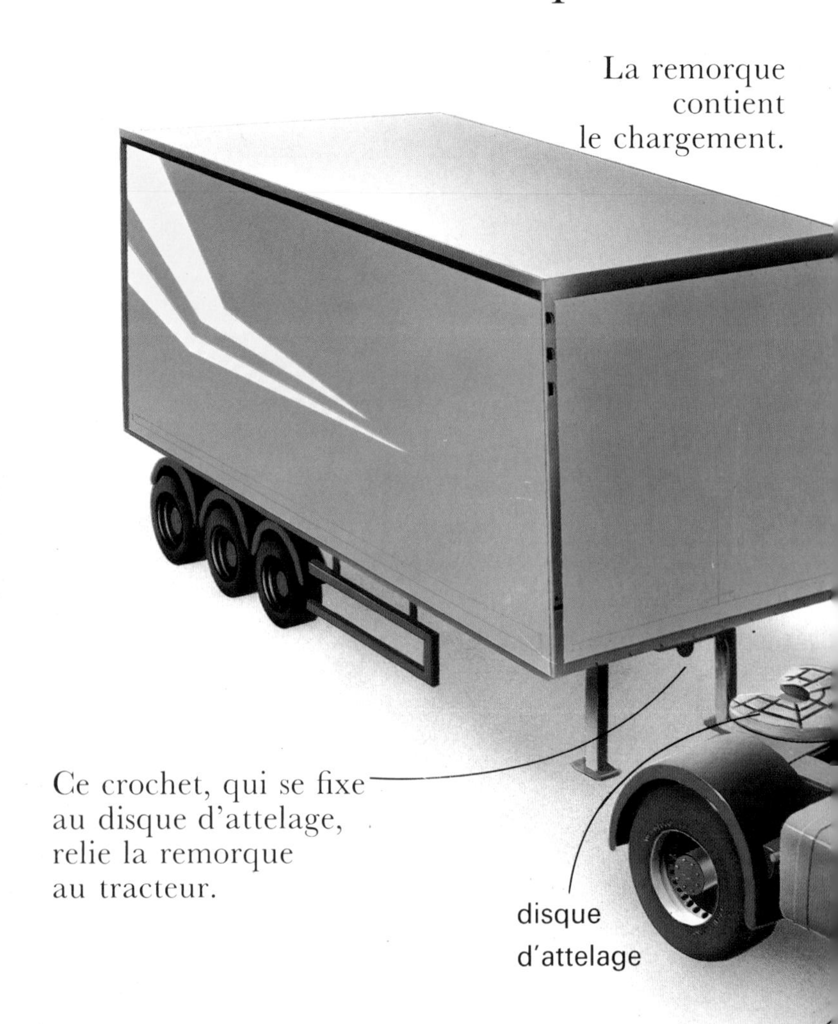

Ce crochet, qui se fixe au disque d'attelage, relie la remorque au tracteur.

Réservoir contenant le gazole utilisé par le moteur Diesel.

Le semi-remorque est composé de deux parties : le tracteur et la remorque. Celle-ci peut être, comme ici, un énorme conteneur. Elle n'a ni moteur ni roues avant. Parce qu'il est articulé (en deux parties), le semi-remorque peut manœuvrer facilement.

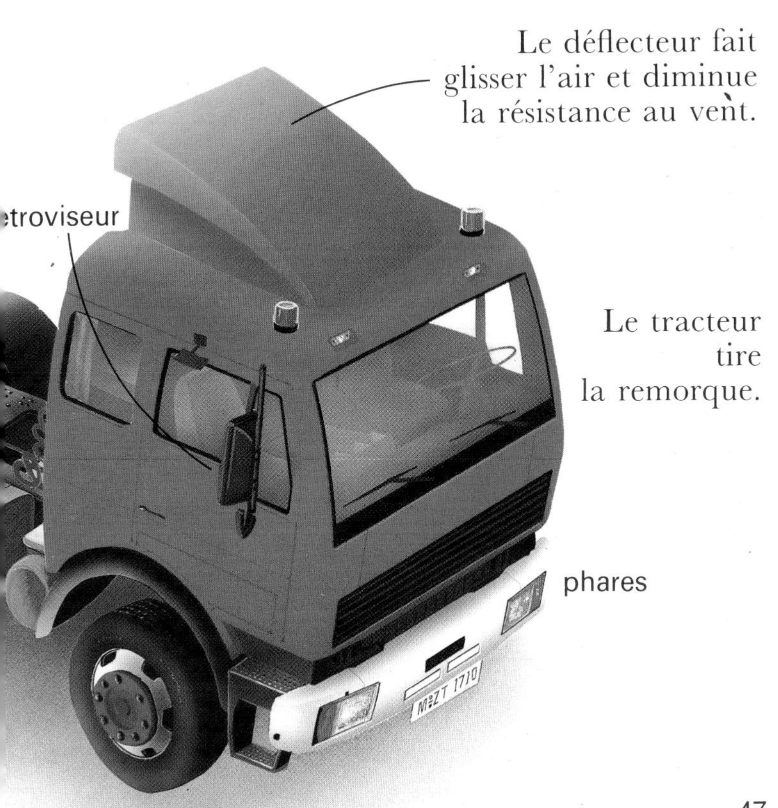

Les routiers

Dans les entrepôts, des chariots élévateurs sont utilisés pour charger les remorques. Dès que tout est en place, le routier peut partir. Son voyage dure parfois plus d'une semaine.

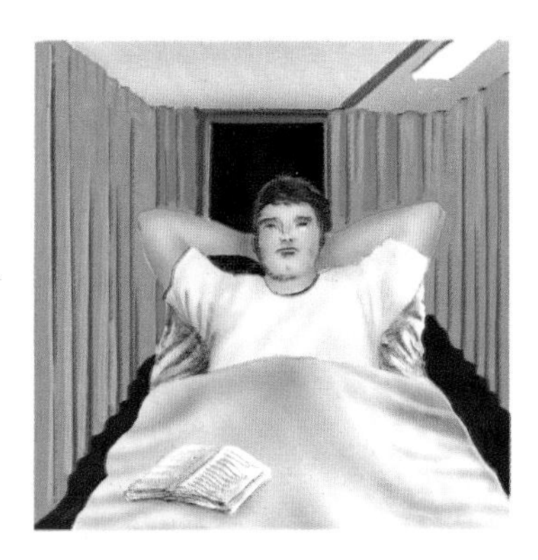
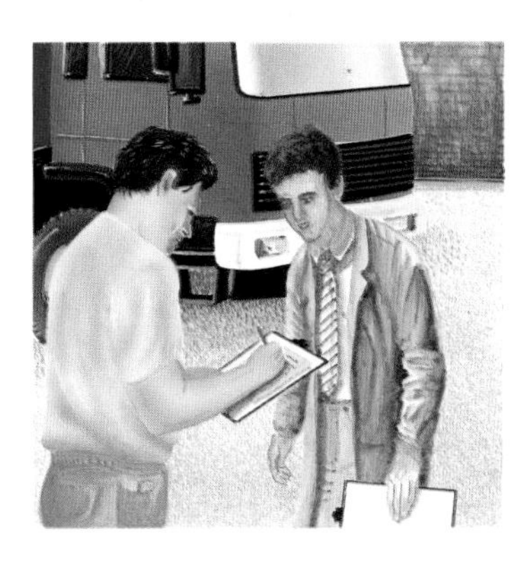

Sur la route, il peut contacter d'autres chauffeurs à l'aide d'un téléphone. S'il doit changer une roue, il se sert d'un cric. Après avoir conduit pendant toute une journée, il grimpe dans sa couchette à l'arrière de la cabine. Une fois arrivé à destination, il fait signer un bon de livraison, et la remorque est déchargée.

Camions spéciaux

Les camions ont des formes adaptées à chaque usage particulier.

Un camion-citerne peut transporter essence, gaz liquéfié, lait ou produits chimiques.

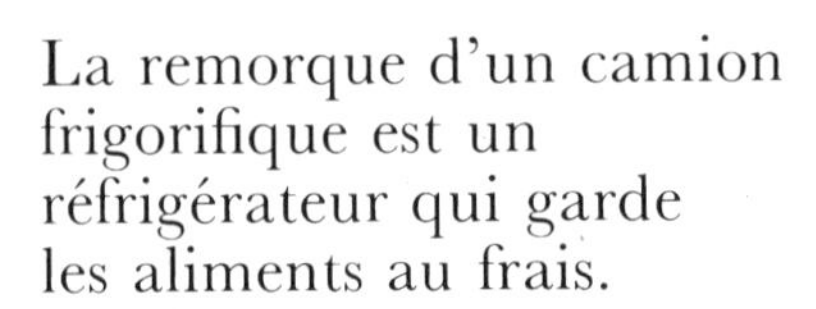

La remorque d'un camion frigorifique est un réfrigérateur qui garde les aliments au frais.

Ces voitures sont transportées par la route,
de l'usine au point de vente du concessionnaire.

Ce camion possède sa
propre grue pour charger
les troncs d'arbre
qu'il transporte.

Un train routier de
remorques sert pour
les très longs parcours.
Il traîne au moins trois
remorques.

Au feu !

Voitures et deux-roues doivent laisser la place aux véhicules de secours. Les pompiers arrivent au plus vite, afin d'éteindre l'incendie. Les ambulanciers emmènent les blessés graves. La police interdit l'accès aux lieux du sinistre.

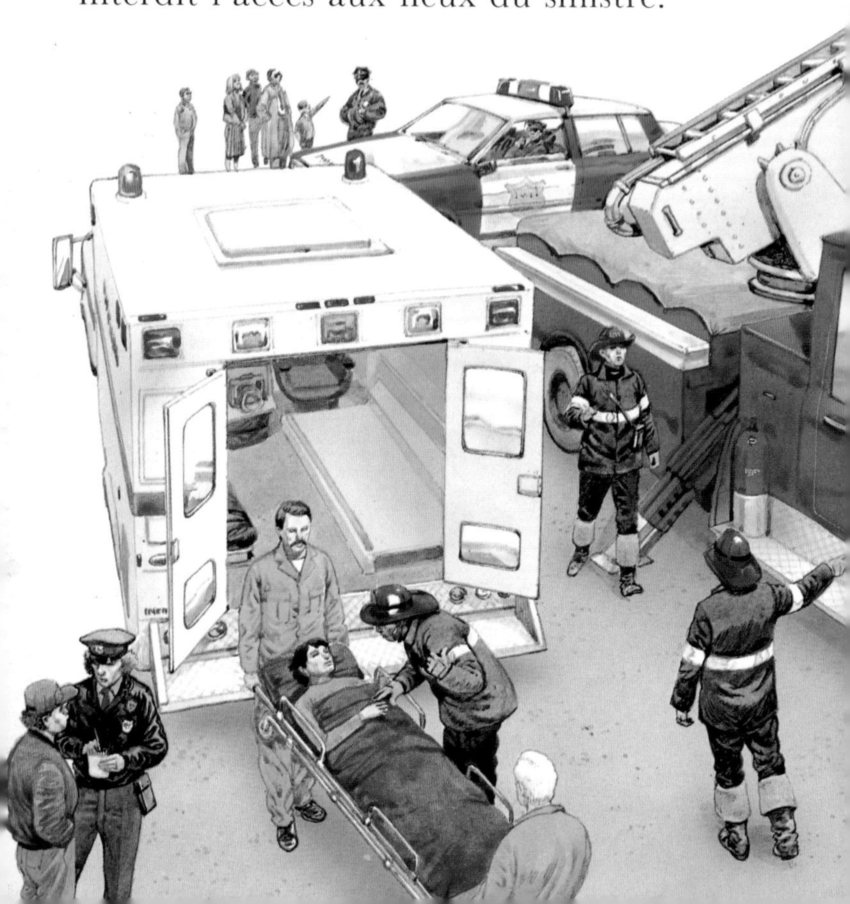

Dans les champs

Le tracteur agricole a un moteur très puissant. Les pneus de ses grandes roues arrière ont des rainures profondes, qui lui permettent de mieux adhérer à la terre lorsqu'il tire une lourde charrue.

Grâce à ses larges pneus, ce véhicule tout terrain peut se déplacer en dehors des chemins. Il peut gravir de fortes pentes et rouler dans la boue. Pour le conduire, on se sert d'un guidon et non d'un volant.

Une grue mobile

Une grue mobile peut se déplacer sur les routes. Mais, une fois sur le chantier, elle est fixée au sol par des stabilisateurs à vérins, qui la maintiennent en équilibre lorsqu'elle soulève des charges.

Les câbles soulèvent le chargement à l'aide de poulies.

Le bras de la grue, ou flèche, est actionné depuis la cabine, à l'aide de manettes.

La longueur de la flèche est réglable, comme celle d'un télescope.

Construire une route

Des ingénieurs dessinent d'abord le tracé de la nouvelle route et calculent quel en sera le trafic. Puis d'énormes machines se mettent au travail...

1. Les bulldozers dégagent les blocs de terre ou de roche.

2. Les scrapers égalisent le terrain.

tombereau de chantier

3. Des tombereaux apportent les matériaux (graviers) qui font l'assise de la route. Les niveleuses préparent un sol parfaitement plat.

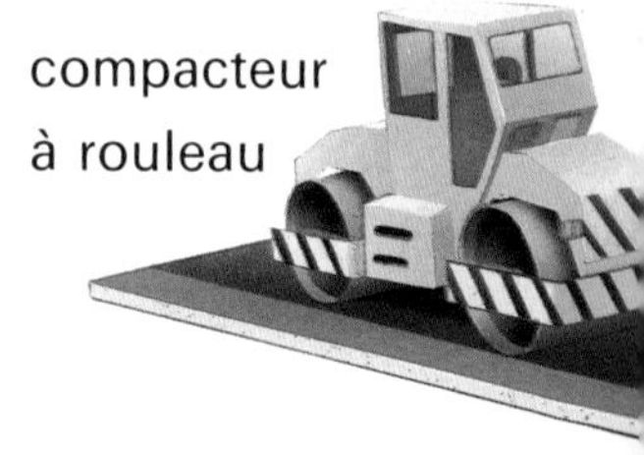
compacteur à rouleau

4. Le finisseur répand la couche de roulement en asphalte. Enfin, les compacteurs à rouleau tassent la couche pour la rendre lisse et compacte.

bulldozer
scraper
niveleuse
finisseur
L21

Ponts et tunnels

Ponts et tunnels raccourcissent les trajets. Ici, un pont permet au train de franchir le fleuve. Un deuxième permet de surélever une voie d'autoroute. Les tunnels traversent les montagnes ou passent sous les fleuves.

Pour construire un tunnel, il faut creuser sous la terre. Si la roche est dure, des perforatrices y percent des trous. On y place des explosifs pour faire éclater la pierre.

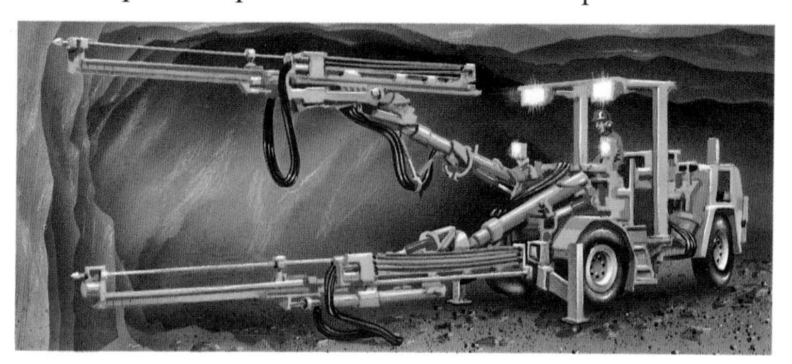

Si la roche est assez tendre, on se sert d'un tunnelier, qui fore la pierre à l'aide de disques coupants. Le tunnel est ensuite renforcé avec du béton et de l'acier.

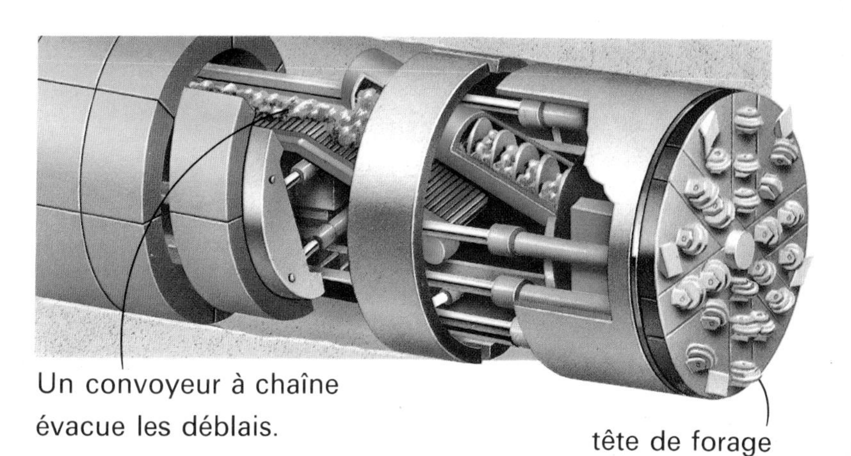

Sais-tu que...

On compte dans le monde plus de 400 millions de voitures, dont un tiers environ aux États-Unis.

Les deux plus gros véhicules de transport terrestre sont ceux qui acheminent les fusées spatiales américaines jusqu'à leur base de lancement. Chacun est comparable à un immeuble de 12 étages !

La Jaguar XJ220 est l'une des voitures de tourisme les plus rapides du monde. Elle peut dépasser 340 km/h.

Le véhicule terrestre le plus rapide au monde est Thrust II. Avec ses deux moteurs-fusées, il a atteint 1 019 km/h.

Le tunnel du Saint-Gothard est le plus long tunnel routier du monde. Il traverse les Alpes suisses et mesure plus de 16 km.

Les rails

À la gare

Point de départ et d'arrivée des trains, les gares fourmillent de voyageurs, parfois très pressés. Des tableaux indiquent les horaires et le numéro du quai où il faut se rendre.

D'une ville à l'autre, les « express » parcourent des centaines de kilomètres sans s'arrêter. Les trains de banlieue ne vont ni aussi vite ni aussi loin ! D'autres trains transportent le courrier.

Train à grande vitesse

Le train français à grande vitesse est le train de passagers le plus rapide du monde. Grâce à sa forme aérodynamique et à ses puissants moteurs, le T.G.V. peut rouler à plus de 300 km/h.

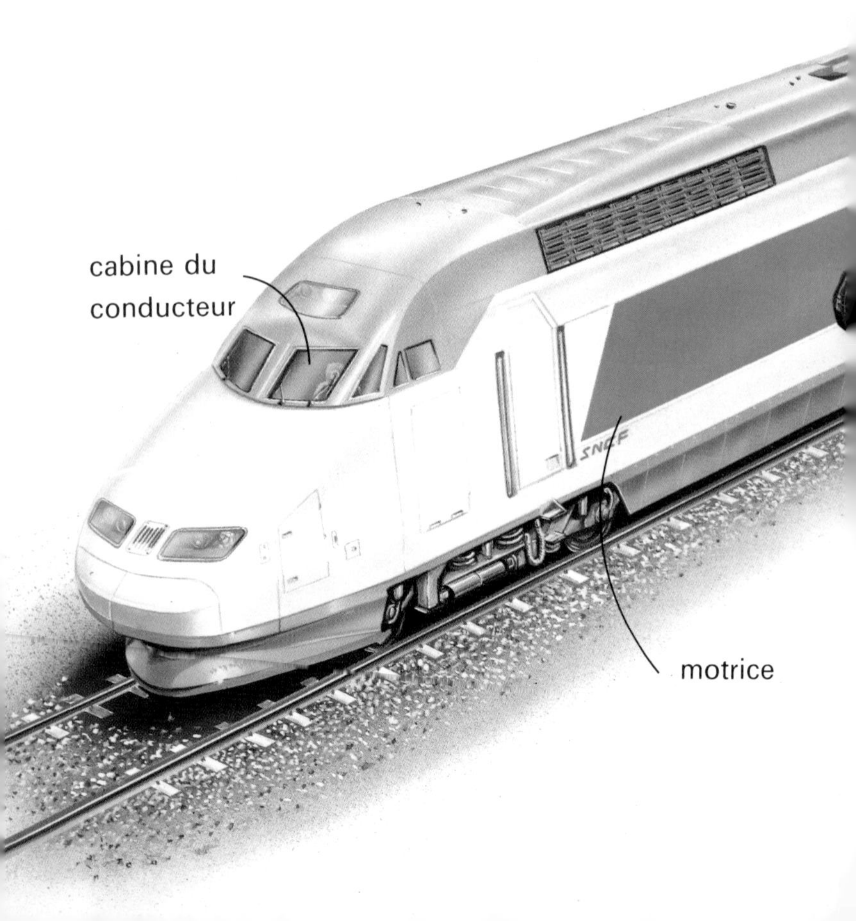

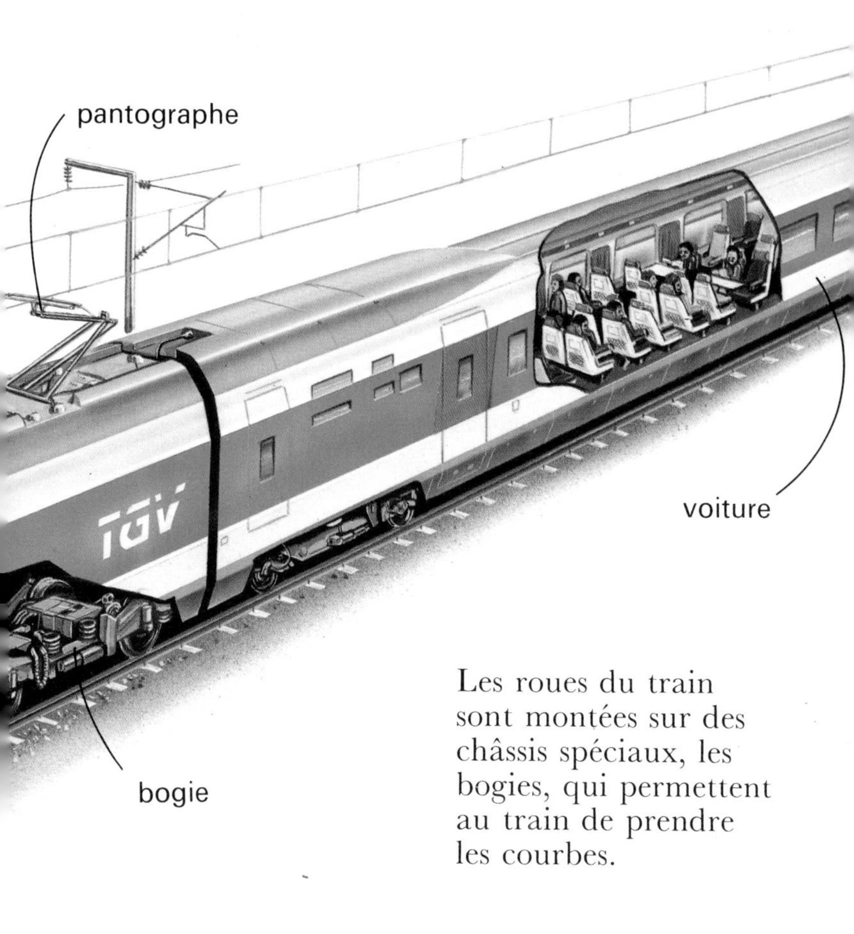

Les roues du train sont montées sur des châssis spéciaux, les bogies, qui permettent au train de prendre les courbes.

Le T.G.V. est à traction électrique. Il capte le courant électrique dans un câble aérien, la caténaire, par l'intermédiaire d'un dispositif articulé, le pantographe.

Conduire un train

À l'intérieur de sa cabine, le conducteur du T.G.V. règle la vitesse du train grâce à un volant. Il est aidé par un ordinateur qui lui indique à quel moment il doit ralentir ou accélérer.

Les jantes des roues n'ont pas de pneus, mais elles possèdent un rebord, le boudin, qui les empêche de sortir des rails. Depuis un poste d'aiguillage, les aiguilles, lames flexibles, sont manœuvrées électroniquement, de façon à faire bifurquer les trains d'une voie vers l'autre.

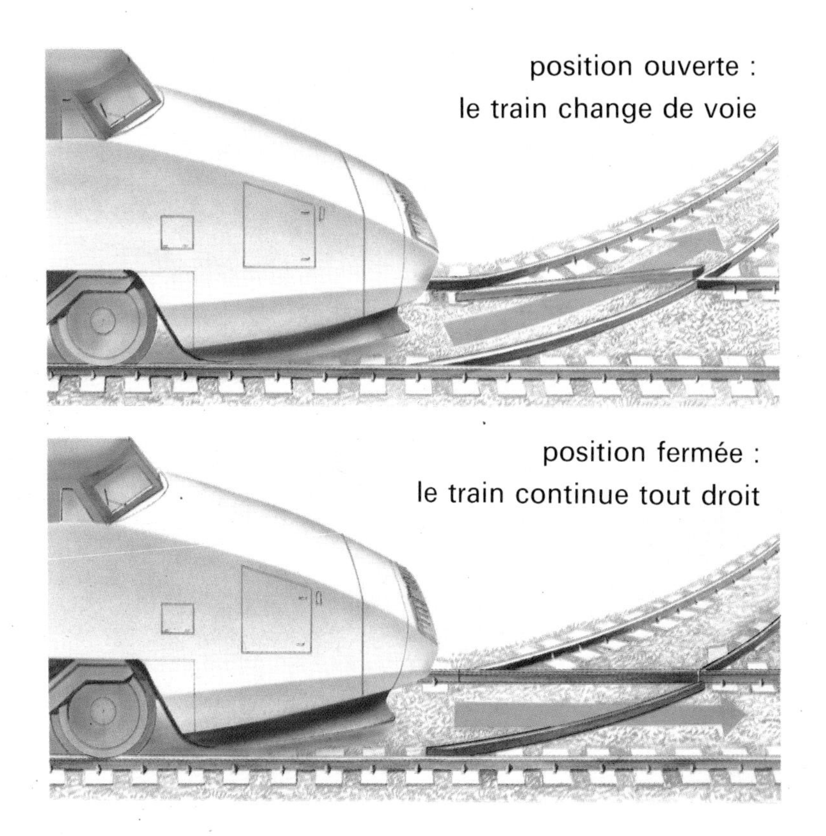

Un train à vapeur

Pour chauffer l'eau, on brûlait bois ou charbon dans la chaudière. La vapeur poussait les pistons qui actionnaient les roues.

Il y a 100 ans, ce train à vapeur traversait les États-Unis. Son chasse-buffle, placé à l'avant, servait à dégager la voie.

D'autres trains

Les trains à vapeur
sont encore utilisés
dans certains pays.
Celui-ci circule
en Inde.

Dans un train Diesel,
on brûle du gazole
pour produire
l'électricité
qui alimente
les moteurs.

Le train à crémaillère
est conçu pour gravir
les terrains très pentus.
Les dents d'une roue
centrale s'engagent entre
celles d'un troisième
rail, la crémaillère,
évitant tout glissement.

crémaillère

Sous terre

Métros et R.E.R. sont des trains souterrains qui transportent les citadins sous les rues encombrées de leur ville. L'accès aux quais peut se faire par escaliers roulants ou par ascenseurs.

En l'air

Dans certains pays, il existe des monorails : une voiture se déplaçant sur un seul rail. Celui-ci est suspendu, ce qui permet de libérer de l'espace dans la ville. D'autres circulent sur un rail au sol.

Trains de marchandises

Les trains ne transportent pas que des passagers. Ils peuvent aussi acheminer toutes sortes de marchandises.

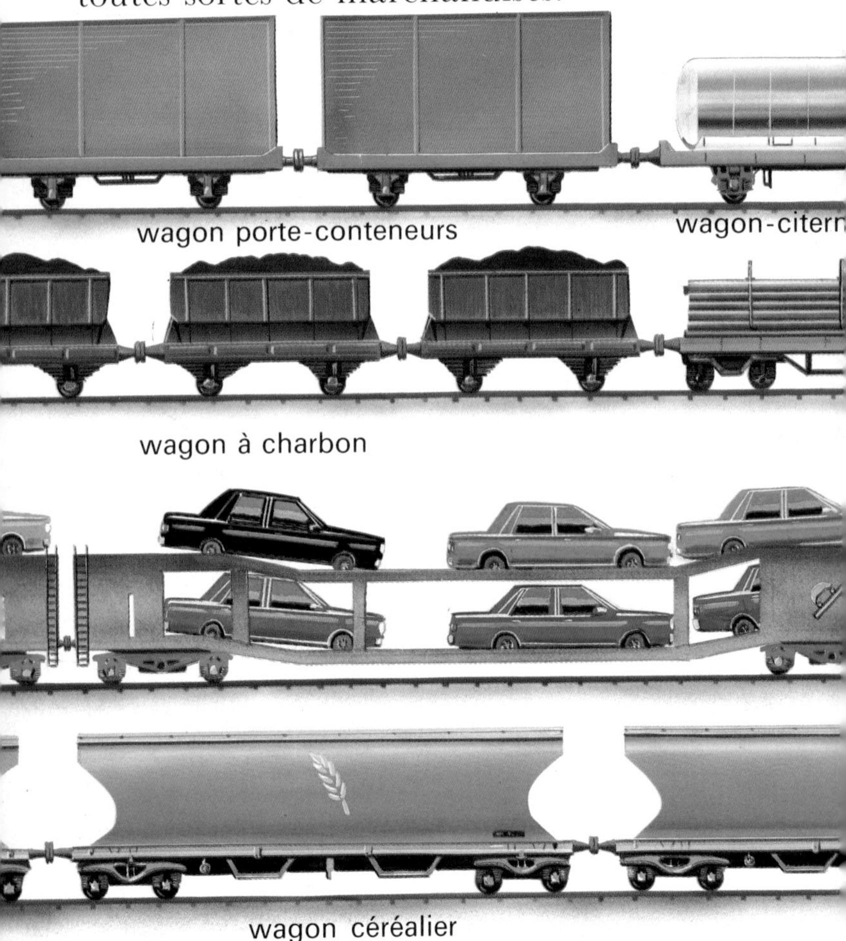

Les trains de marchandises peuvent tirer jusqu'à 150 wagons différents, qui sont assemblés dans une gare de triage.

Sais-tu que...

La première ligne de chemin de fer publique fut ouverte en Angleterre en 1825. Un train à vapeur, de 33 voitures, transporta les passagers à une vitesse de 24 km/h.

Le premier métro fut inauguré à Londres en 1863. À l'origine, les trains étaient à vapeur. Aussi les tunnels étaient-ils toujours remplis de fumée !

Le record de vitesse en train est de 515 km/h. Il a été réalisé par le T.G.V. français en 1990. Cette vitesse pourrait être dépassée par les trains à sustentation magnétique, maintenus sur la voie par des aimants.

La voie ferrée la plus longue mesure plus de 9 400 km. Elle relie Moscou, capitale de la Russie, au port de Nakohdka, sur la mer du Japon.

Le transport

par mer

Au port

Dans les ports, les bateaux sont chargés et déchargés à l'aide de grues. Des remorqueurs les dirigent jusqu'à leur quai. Pour maintenir une profondeur suffisante, des dragueurs enlèvent la vase qui se forme au fond de l'eau.

dragueur
remorqueur
grue

Un paquebot

Un paquebot est un véritable hôtel flottant. Durant le trajet, les passagers se divertissent à leur guise : nager, jouer aux cartes sur le pont, regarder un film...

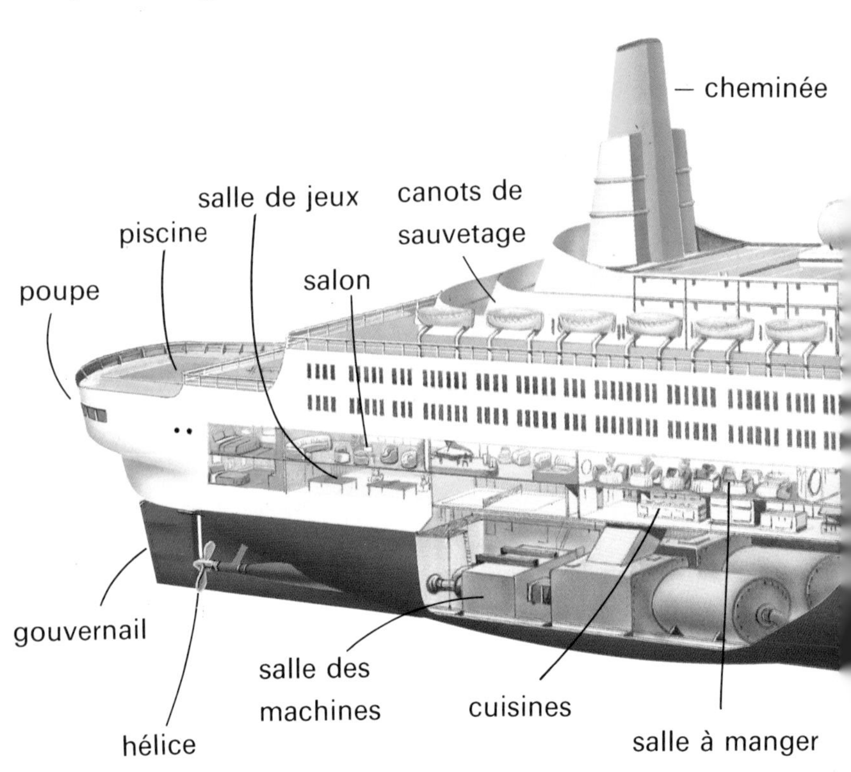

Chaque partie d'un bateau a un nom bien précis. La coque, l'élément central, se prolonge à l'avant par la proue et se termine à l'arrière par la poupe. Les chambres des passagers s'appellent « cabines ». Le capitaine dirige les manœuvres du haut de la passerelle de commandement.

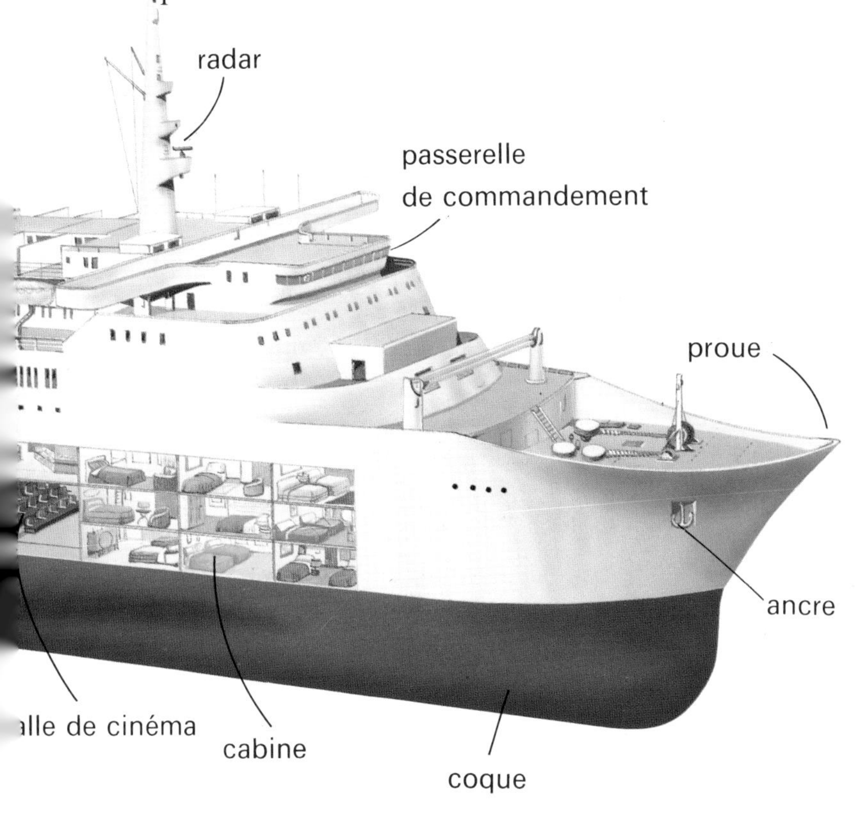

La navigation

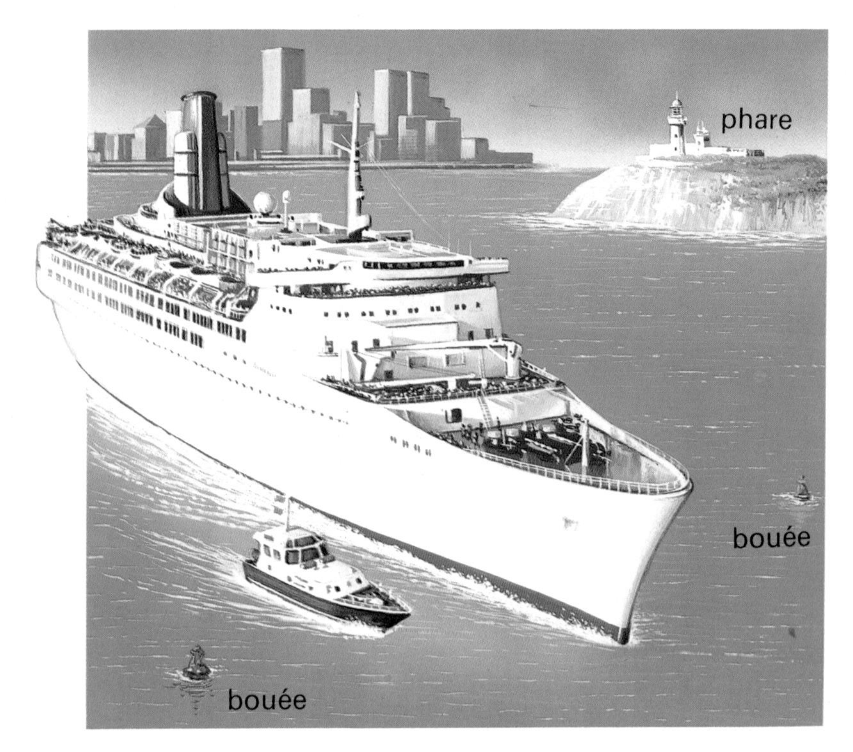

Accéder à un port est toujours une manœuvre délicate. Très souvent, le capitaine confie les commandes à un pilote qui connaît bien les lieux. Des bouées indiquent les endroits les plus profonds, les chenaux. La nuit, les phares permettent de se repérer.

Naviguer, c'est avant tout savoir s'orienter. En mer, le capitaine et son équipage tracent la route à l'aide de cartes marines. Les radars leur indiquent la présence d'autres bateaux, tandis qu'ils vérifient leur position grâce aux signaux des satellites.

La salle des machines

Les moteurs du bateau se trouvent dans la salle des machines, située au fond de la coque. Ils entraînent l'hélice qui, en tournant dans l'eau, fait avancer le navire, dirigé par le gouvernail.

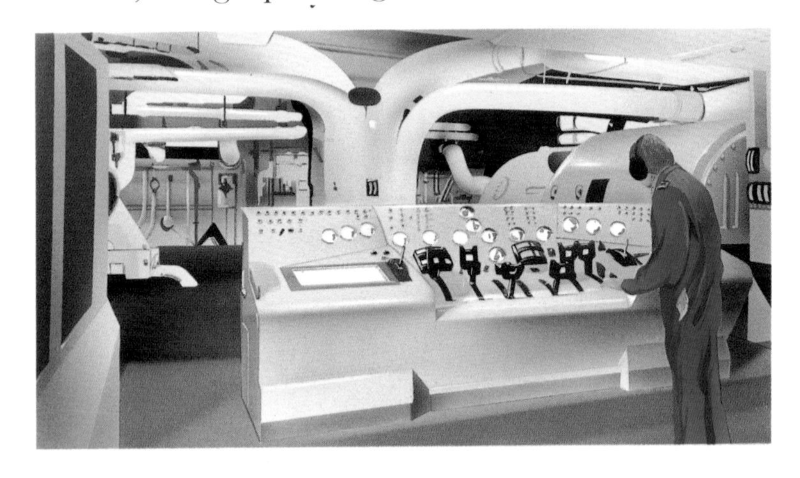

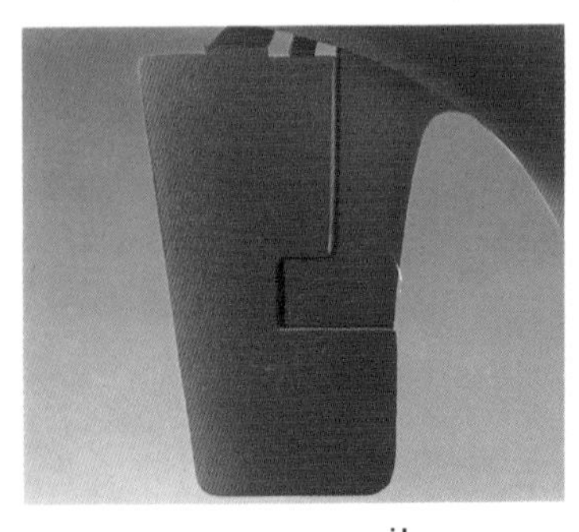

gouvernail

hélice

Comment flotte-t-il ?

La coque d'un bateau exerce une poussée vers le bas, qui tend à chasser l'eau. Celle-ci, à l'inverse, repousse la coque vers le haut. Le bateau flotte quand les deux forces s'équilibrent. Un navire trop chargé risquerait de couler...

La ligne de flottaison, inscrite sur les flancs, indique la limite de chargement.

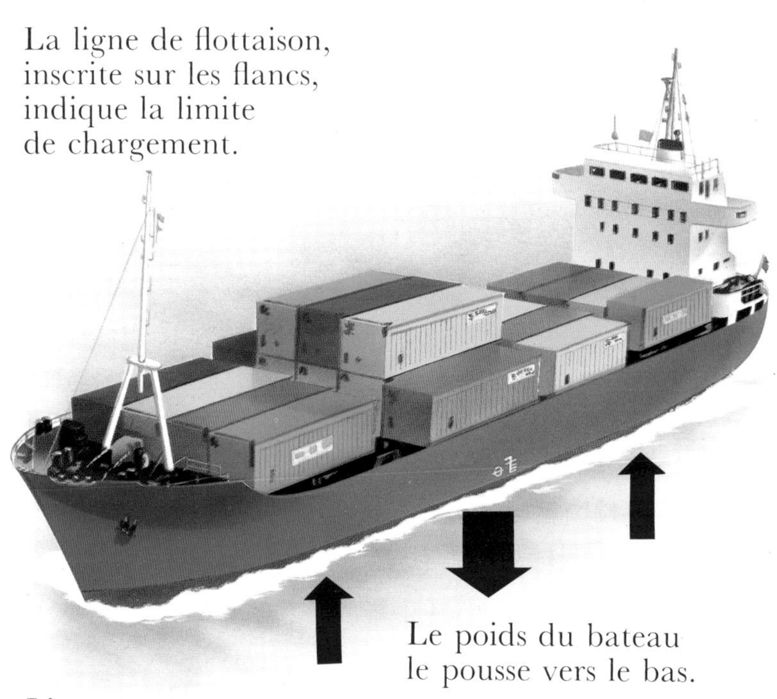

Le poids du bateau le pousse vers le bas.

L'eau pousse la coque vers le haut.

D'autres bateaux

Regarde comme ces bateaux sont différents !

L'hydroptère repose sur des ailes immergées. Lorsqu'il prend de la vitesse, elles le soulèvent hors de l'eau.

L'aéroglisseur flotte sur un coussin d'air créé par des ventilateurs. Il est propulsé par des hélices aériennes.

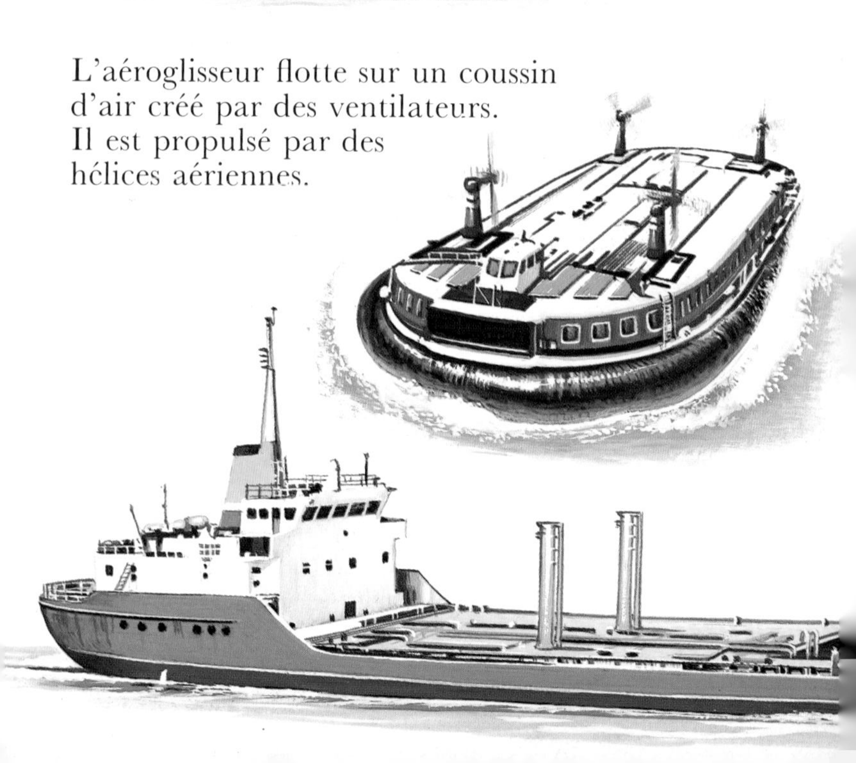

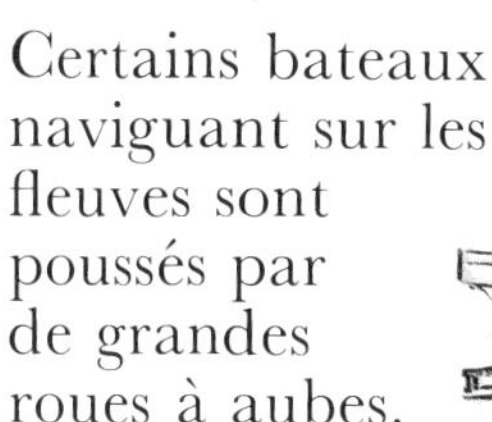

Certains bateaux
naviguant sur les
fleuves sont
poussés par
de grandes
roues à aubes.

Les bateaux de sauvetage,
qui portent secours
aux naufragés,
sont insubmersibles.

Sur les chalutiers, un
treuil à moteur placé
à l'arrière permet
de remonter les filets.

Avec leurs immenses
réservoirs, les pétroliers
géants sont les plus
longs bateaux
du monde.

Les canaux

Les canaux sont constitués de plans d'eau, sans pente et de niveau différent, les biefs, ainsi que d'écluses qui permettent aux bateaux de passer d'un bief à l'autre.

Dès que la péniche est entrée dans l'écluse, les portes se ferment à l'arrière et le bassin se remplit d'eau. Lorsque la hauteur de l'eau atteint celle du bief supérieur, les portes s'ouvrent à l'avant et le voyage se poursuit.

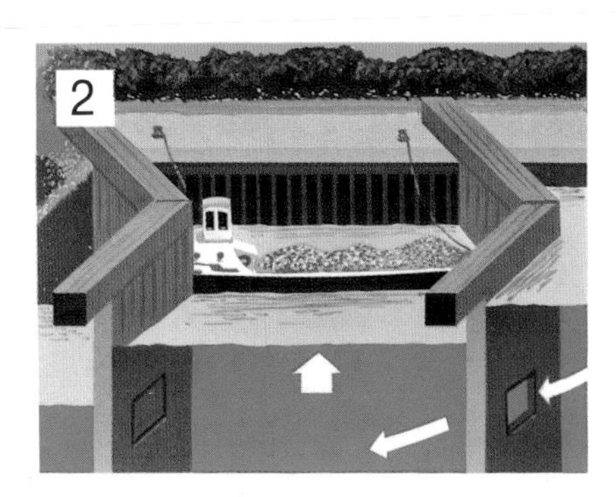

Les voiliers

Les voiliers se déplacent grâce à la force du vent, qui s'engouffre dans les voiles et les pousse. Autrefois, de grands voiliers comme celui-ci sillonnaient les mers. Mais ils furent remplacés par des bateaux à vapeur, plus rapides.

La jonque
est un
voilier
chinois.

Ce voilier de course augmente
sa vitesse grâce à une grande
voile avant, le spinnaker.

Un catamaran a
deux coques
reliées par des bras.

Un sous-marin

Le gouvernail de direction et les hydroplanes contrôlent la marche en plongée.

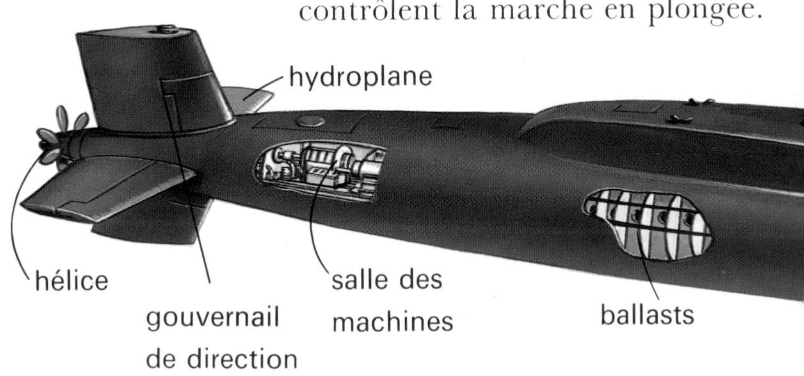

Conçus pour naviguer sous l'eau, les sous-marins peuvent y rester plusieurs semaines avant de remonter à la surface. Le commandant de bord se tient dans le poste central. En hissant le périscope, il observe ce qui se passe au-dessus de l'eau.

L'eau est introduite dans les ballasts.

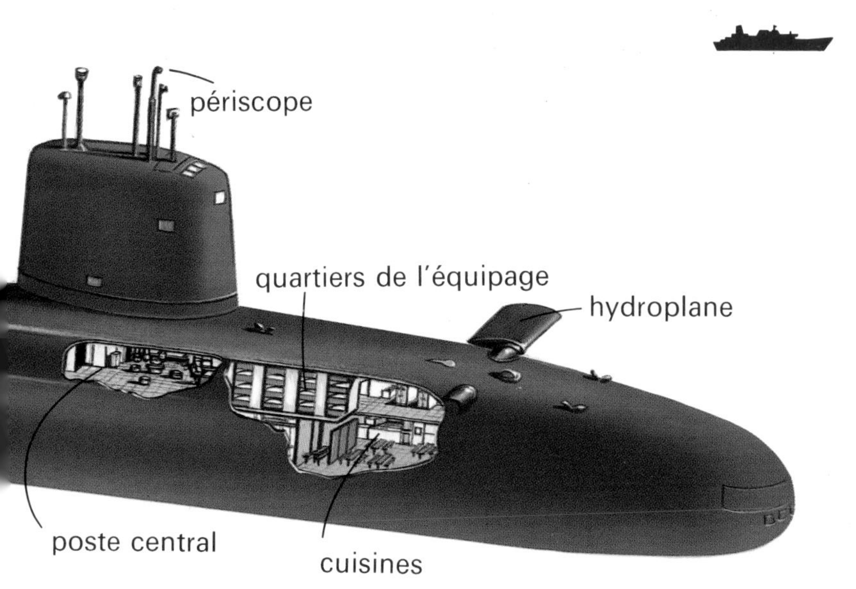

Pour plonger, on remplit les ballasts, réservoirs étanches, d'eau de mer. Pour remonter, on en chasse l'eau en y soufflant de l'air.

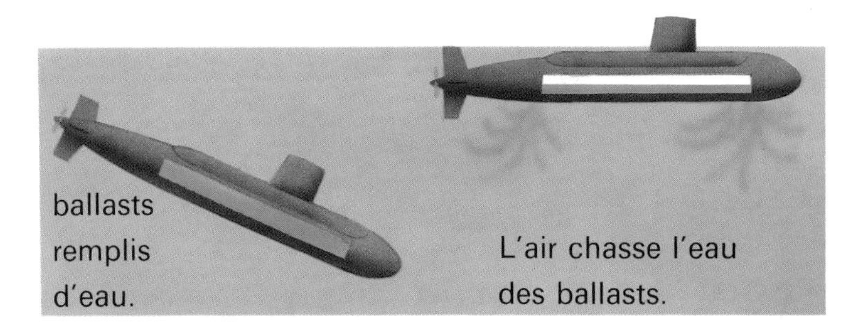

Sais-tu que...

Le premier voyage autour du monde fut entrepris par Fernand de Magellan en 1519, avec une flotte de cinq navires à voiles. Il dura près de trois ans et apporta la preuve que la Terre n'était pas plate, comme beaucoup le pensaient, mais sphérique.

Il y a un siècle environ, les voiliers les plus rapides étaient les clippers. Ils pouvaient traverser l'Atlantique en douze jours. Aujourd'hui, les paquebots les plus rapides le font en trois jours et demi.

Le plus gros bateau du monde est le pétrolier géant *Seawise Giant*, dont le tonnage est de 564 739 t. Le plus grand paquebot est le *Norway*, long de 315 m.

Le naufrage du *Titanic*, en 1912, est l'une des plus grandes catastrophes de l'histoire maritime. Le paquebot sombra après avoir heurté un iceberg.

Dans

les airs

À l'aéroport

Pistes d'envol et d'atterrissage, hangars destinés aux avions, aérogares où attendent les passagers : il faut vraiment beaucoup d'espace pour construire un aéroport !

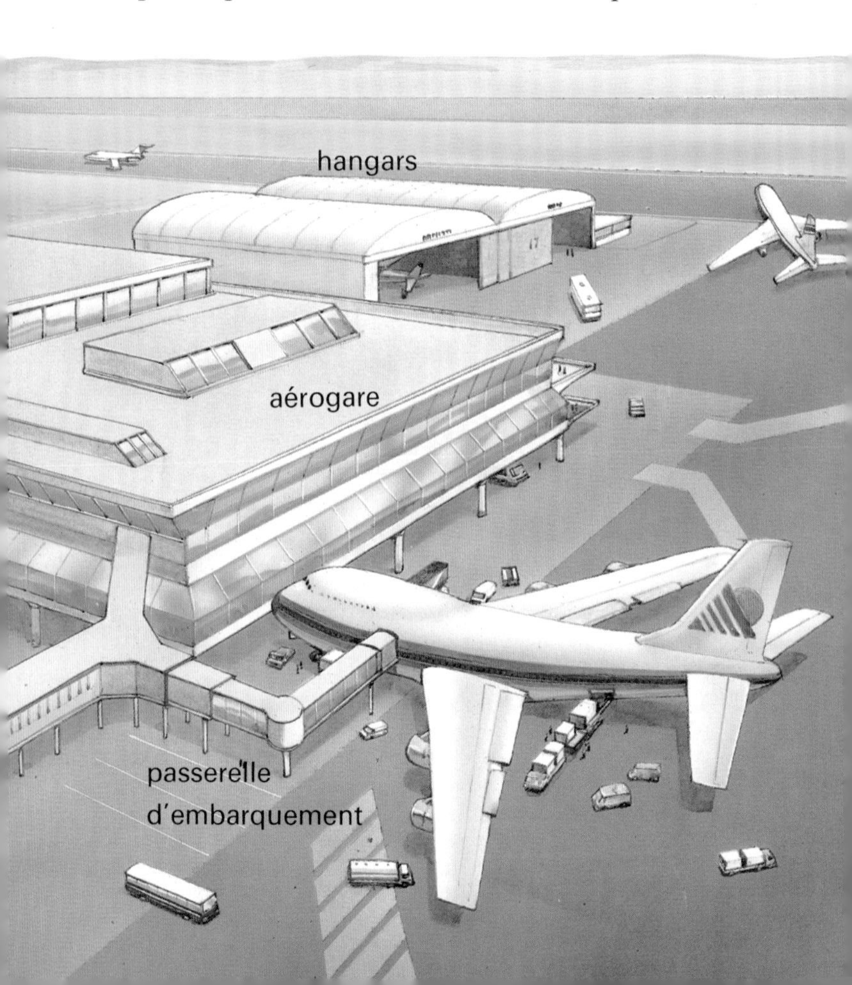

Quand les passagers montent à bord, l'avion a été nettoyé, le plein de carburant a été fait, les repas ont été embarqués et les bagages installés dans la soute. L'appareil se place ensuite au départ de la piste et le pilote attend l'autorisation de décoller.

Un gros-porteur

Le Boeing 747 est l'un des plus gros avions de ligne au monde. Grâce à ses quatre turboréacteurs, il peut transporter plus de 400 passagers, à une vitesse d'environ 900 km/h. Son fuselage, ses ailes et ses gouvernes ont des dimensions impressionnantes !

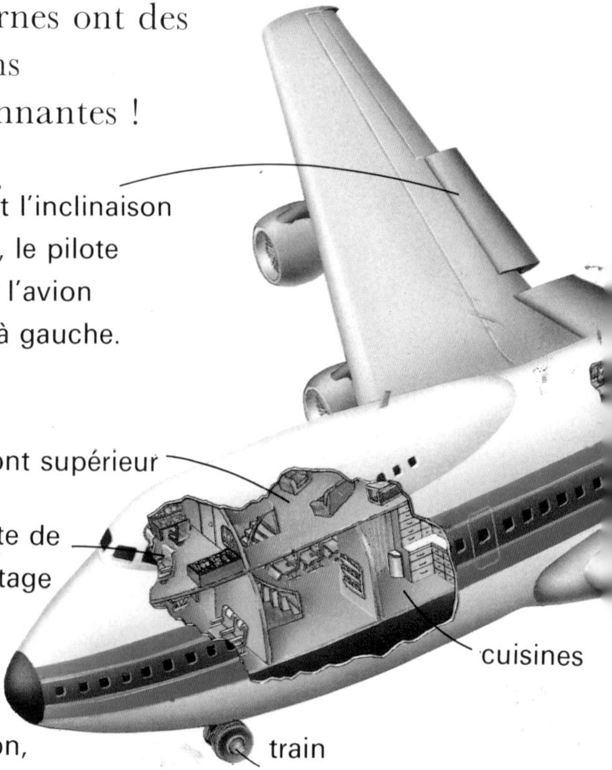

En modifiant l'inclinaison des ailerons, le pilote fait pencher l'avion à droite ou à gauche.

pont supérieur

poste de pilotage

Le radar, situé dans le nez de l'avion, guide le pilote.

cuisines

train d'atterrissage avant

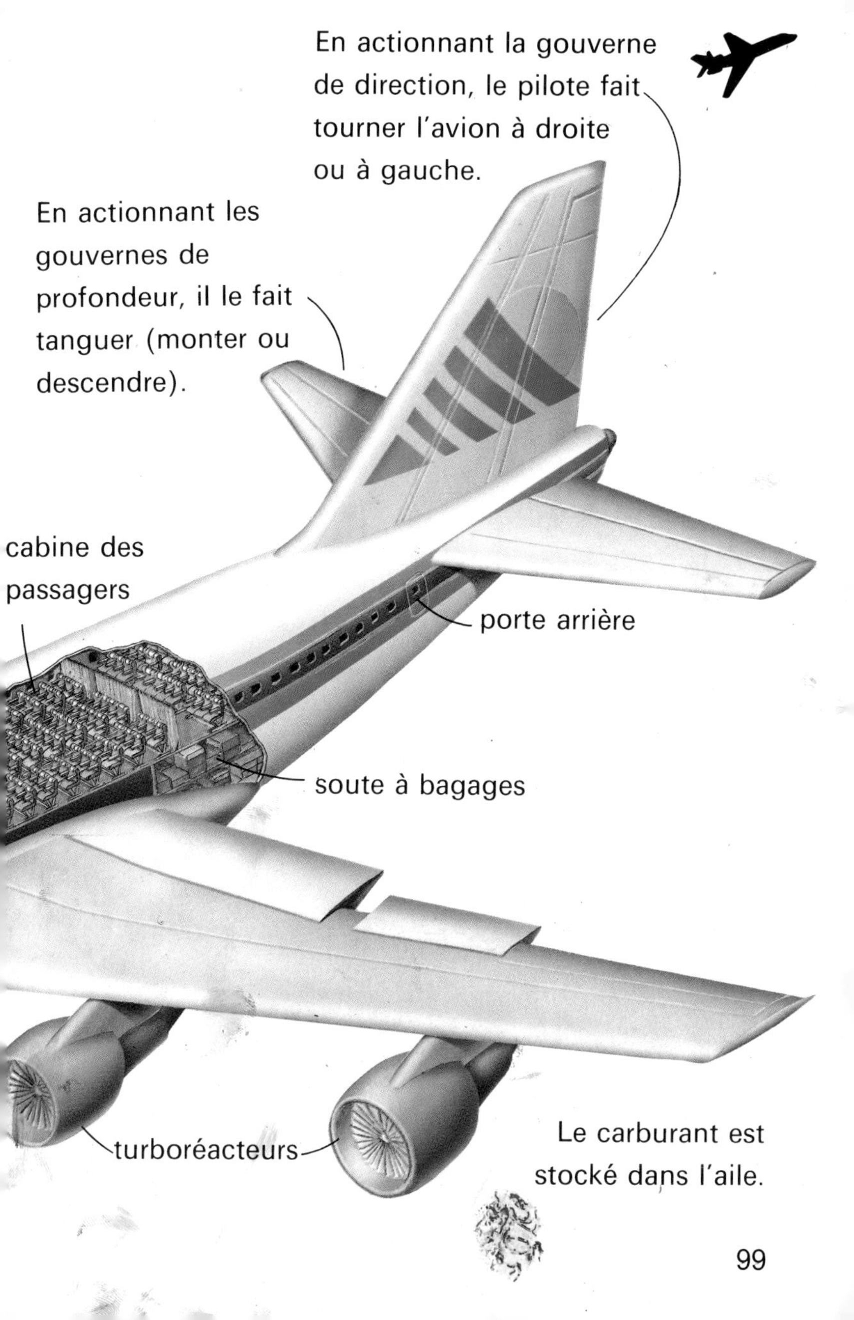
En actionnant la gouverne
de direction, le pilote fait
tourner l'avion à droite
ou à gauche.
En actionnant les
gouvernes de
profondeur, il le fait
tanguer (monter ou
descendre).
cabine des
passagers
porte arrière
soute à bagages
turboréacteurs
Le carburant est
stocké dans l'aile.

Prendre l’avion...

Lorsqu’un passager arrive à l’aéroport, il doit d’abord faire enregistrer ses bagages. S’il part à l’étranger, il passe ensuite dans la salle de contrôle des passeports.

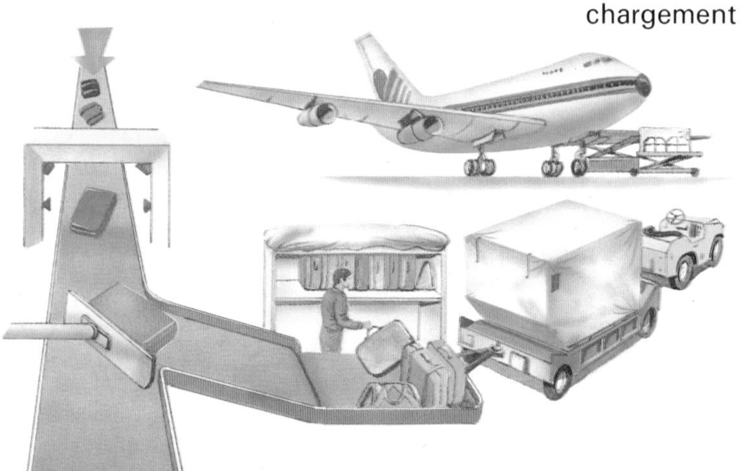

Pendant l'attente qui précède l'embarquement, les bagages sont examinés par des caméras, puis transportés dans la soute. Au cours du vol, hôtesses de l'air et stewards servent repas et boissons.

Décollage autorisé

Dans la tour de contrôle, les aiguilleurs du ciel suivent la position des avions à l'aide de radars. Lorsque la piste est libre, ils donnent au pilote l'autorisation de décoller.

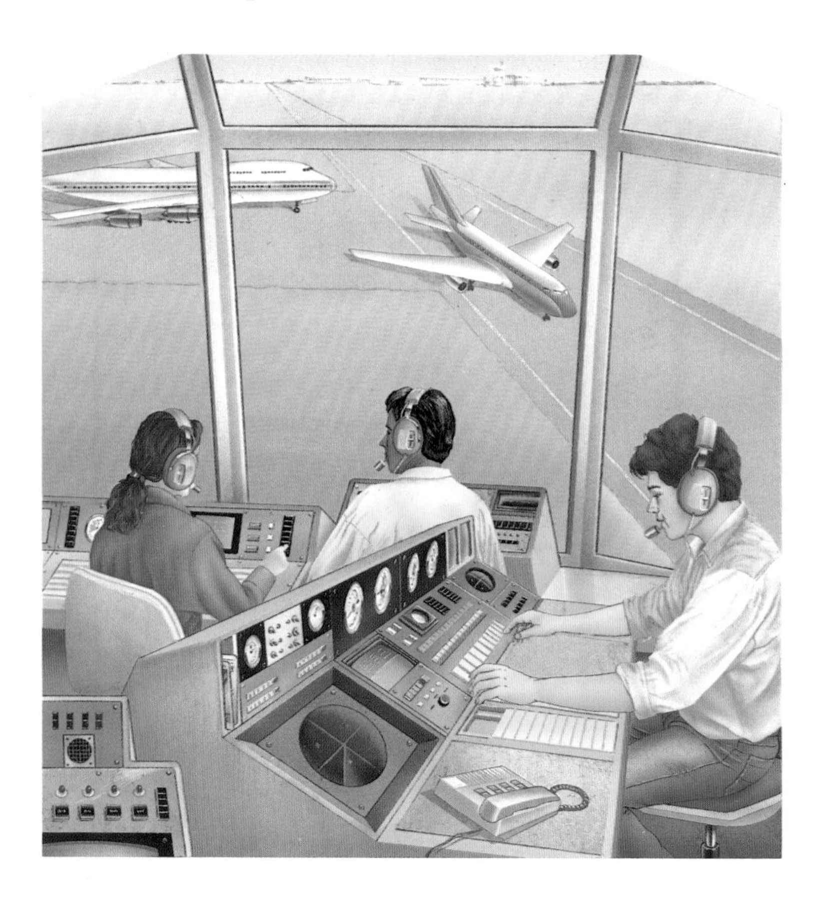

Dans la cabine de pilotage, des ordinateurs assistent les pilotes en leur indiquant la hauteur et la vitesse de l'avion. Les pilotes utilisent aussi des instruments de bord comme l'altimètre et l'horizon artificiel.

altimètre

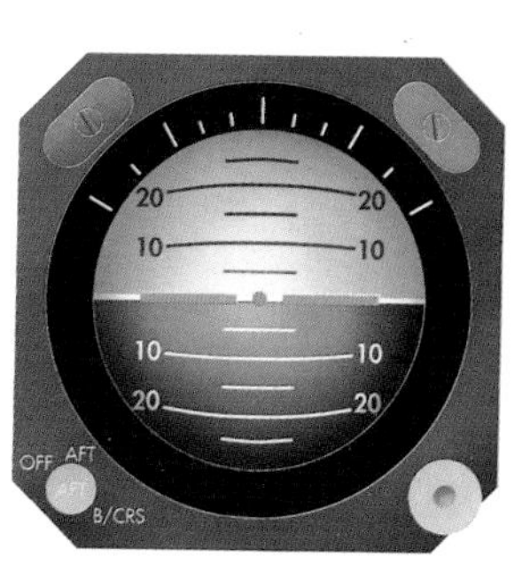

horizon artificiel

Comment vole-t-il ?

Lorsqu'un avion, propulsé par ses réacteurs, s'élance sur la piste d'envol, l'air glisse de part et d'autre de ses ailes.

La poussée en avant vient de la puissance des réacteurs.

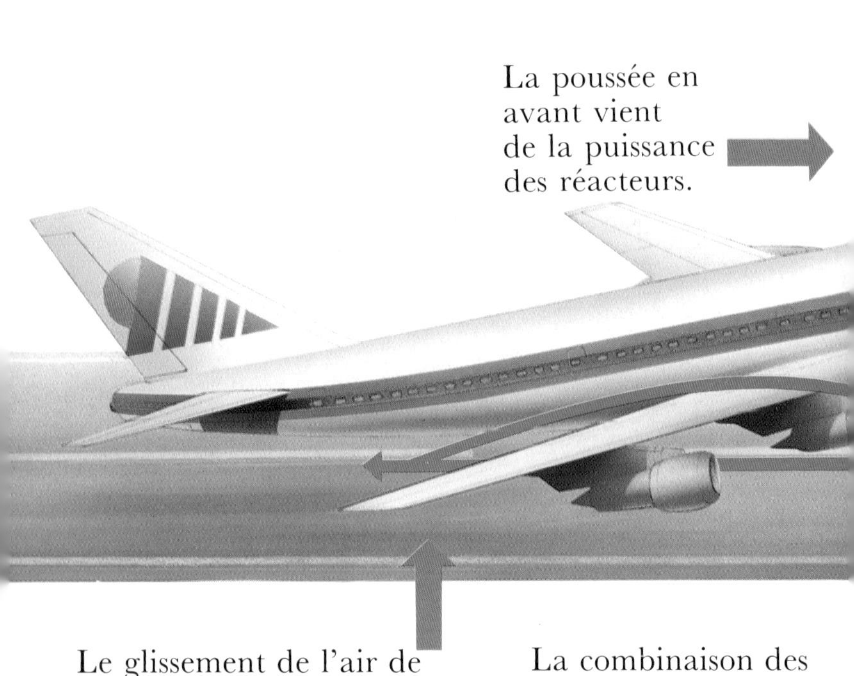

Le glissement de l'air de part et d'autre des ailes crée une autre poussée : la portance.

La combinaison des forces que reçoivent les ailes maintient l'avion en l'air.

En glissant ainsi, l'air a tendance à entraîner l'avion vers le haut. Cette poussée augmente avec la vitesse de l'appareil. Lorsque celle-ci atteint un niveau suffisant, la poussée devient assez forte pour faire décoller l'avion.

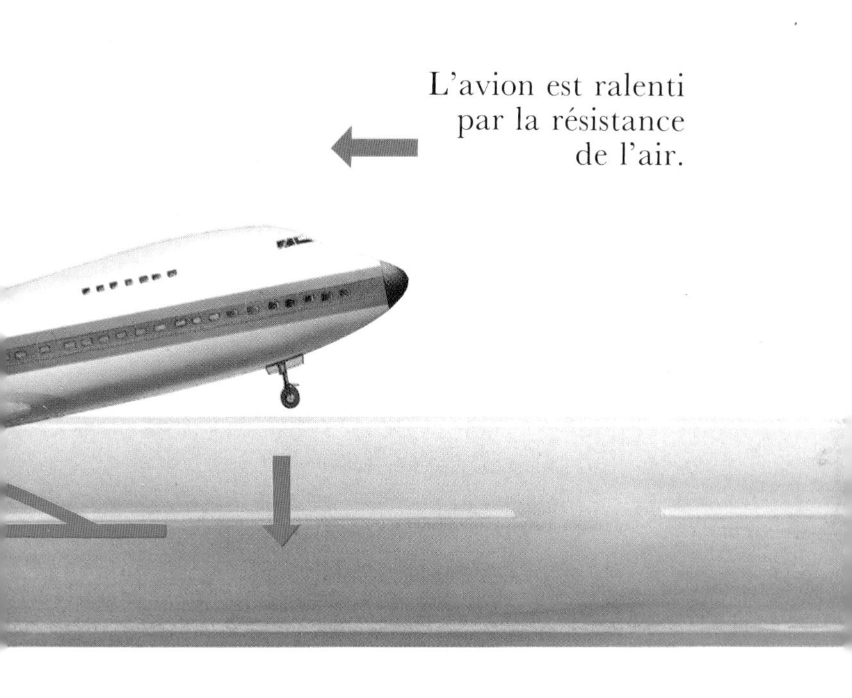

Le poids de l'avion
l'attire
vers le bas.

D'autres avions

Les avions peuvent être très différents : rapides ou lents, petits ou gigantesques. Tout dépend de leur usage...

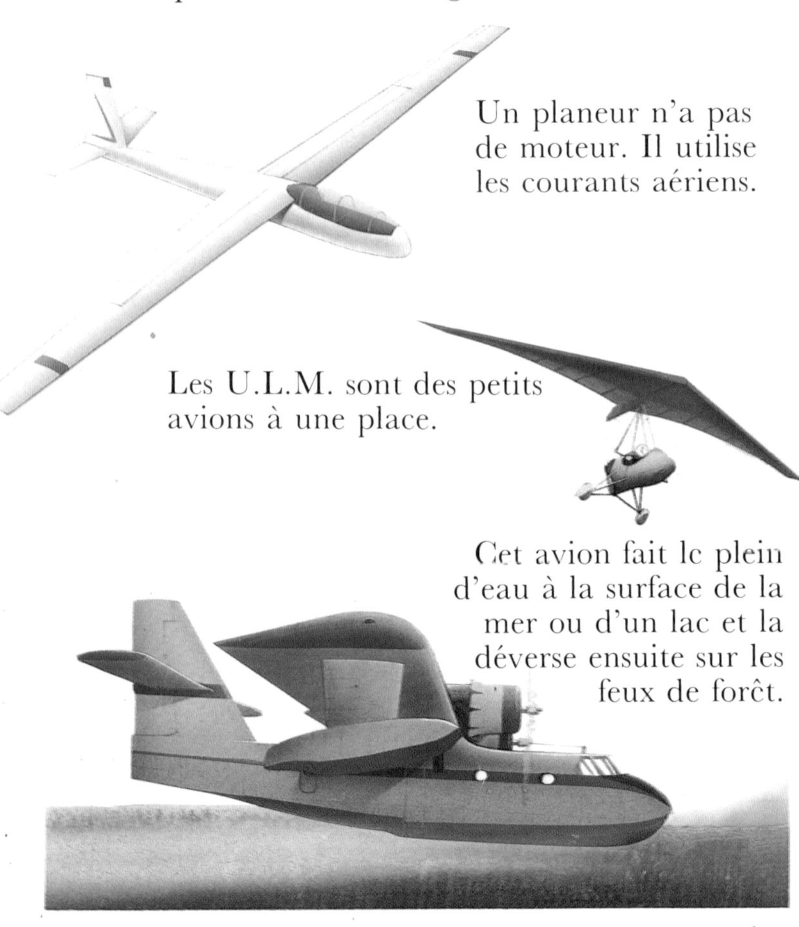

Un planeur n'a pas de moteur. Il utilise les courants aériens.

Les U.L.M. sont des petits avions à une place.

Cet avion fait le plein d'eau à la surface de la mer ou d'un lac et la déverse ensuite sur les feux de forêt.

Le Concorde est un avion
de ligne « supersonique ».
Ce terme signifie que
sa vitesse est supérieure
à celle du son.

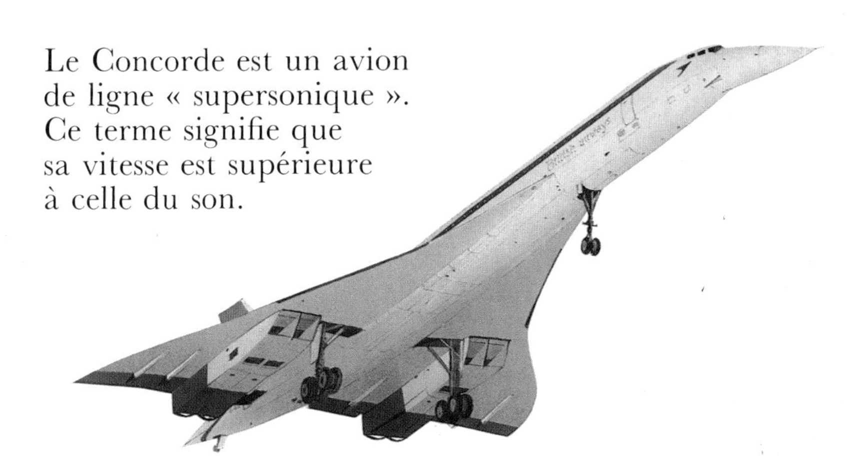

Ce petit avion à
réaction sert
aux voyages
d'affaires.

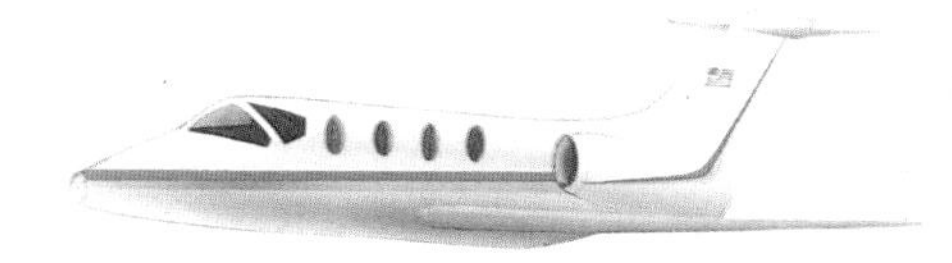

Le Super-Guppy a été construit pour transporter
des éléments d'avion comme l'Airbus.
Ne dirait-on pas une baleine volante ?

Les premiers avions

Il fallait beaucoup de courage et d'habileté pour piloter les premiers avions. À l'époque, ils n'étaient ni très grands ni très rapides.

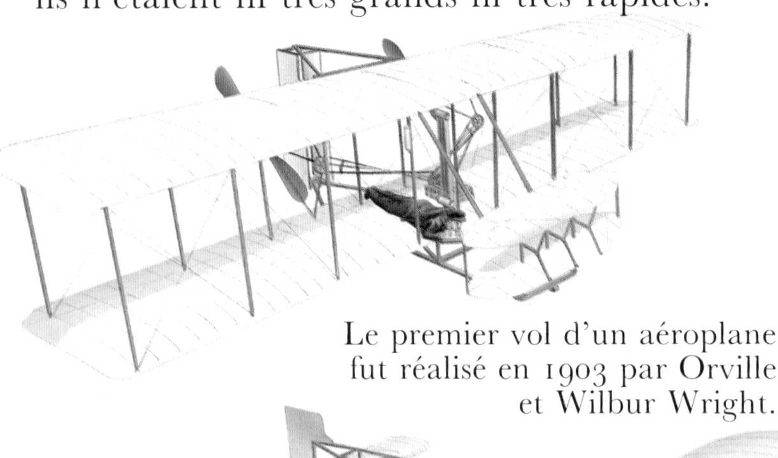

Le premier vol d'un aéroplane fut réalisé en 1903 par Orville et Wilbur Wright.

Louis Blériot fut le premier pilote à traverser la Manche, en 1909.

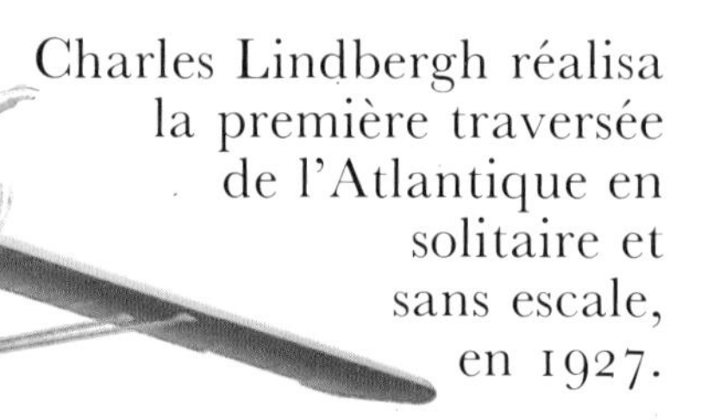

Charles Lindbergh réalisa la première traversée de l'Atlantique en solitaire et sans escale, en 1927.

Les avions militaires

L'armée de l'air a des avions spéciaux. Ses chasseurs et ses bombardiers sont extrêmement rapides et peuvent décoller du pont d'un bateau. Le Harrier peut même décoller à la verticale !

Les hélicoptères

L'hélicoptère n'a pas d'ailes mais des pales entraînées par un rotor. Il peut se déplacer à la verticale, sur les côtés ou rester immobile au-dessus du sol.

Pour diriger l'hélicoptère dans un sens ou dans un autre, le pilote doit modifier l'axe de rotation des pales. Pour cela, il se sert du manche et du palonnier.

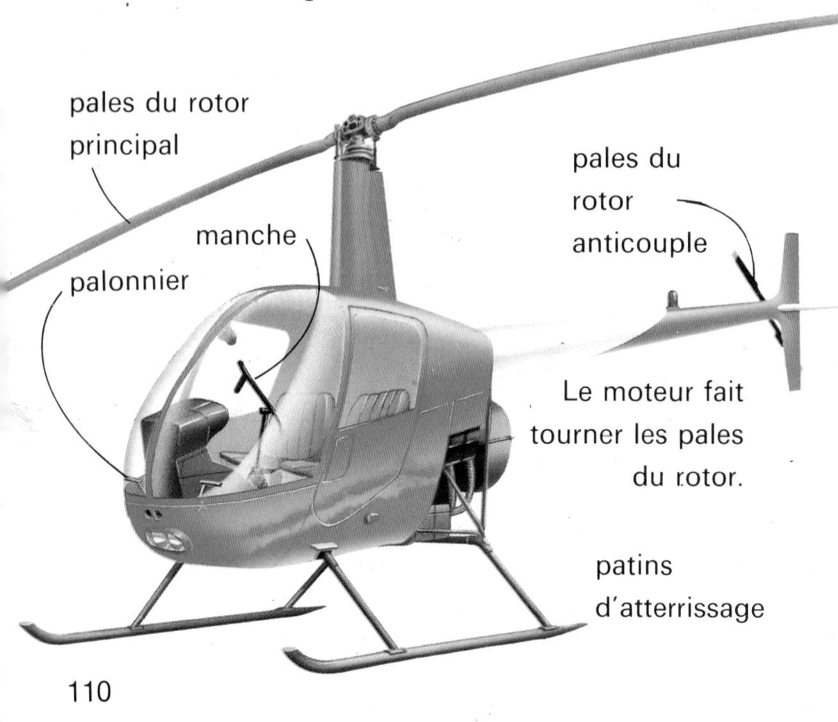

Les hélicoptères sont souvent utilisés pour les sauvetages en mer. Une fois l'appareil immobilisé au-dessus de l'eau, un sauveteur descend secourir le naufragé : grâce à un câble, il le hisse à bord.

Sais-tu que...

En 1933, Wiley Post fut le premier pilote d'avion à faire le tour du monde en solitaire. Il parcourut 25 000 km en 7 jours, 18 heures et 49 minutes.

En 1986, deux pilotes réalisèrent le premier vol autour du monde sans escale, en 9 jours, 3 minutes et 44 secondes.

L'avion le plus lourd du monde est l'Antonov An-225 Dream. Cet avion russe pèse 508 tonnes.

L'avion le plus rapide de tous les temps est le X-15A-2. Cet avion à moteur-fusée américain atteignit en 1967 la vitesse de 7 274 km/h.

Les A.D.A.C. sont des avions à décollage et à atterrissage courts. Ceux qui peuvent décoller et atterrir à la verticale, comme le Harrier, sont appelés A.D.A.V.

Dans

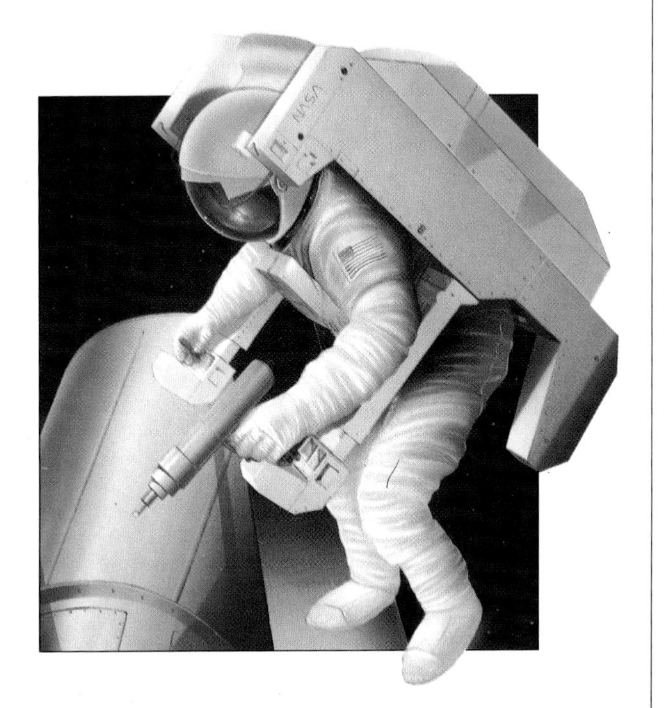

l’espace

Le décollage

Pour décoller, la navette spatiale a besoin de cinq moteurs qui brûlent vingt tonnes de carburant à la seconde ! Elle peut emporter sept astronautes dans l'espace et son énorme soute peut contenir un laboratoire spatial et des satellites.

réservoir extérieur

soute

Les boosters apportent une poussée supplémentaire au cours du lancement.

Deux minutes après le décollage, les deux boosters se séparent de la navette. Ils sont récupérés en mer pour être réutilisés.

Une fois vide, le réservoir extérieur se détache à son tour de la navette. Lorsque sa mission est terminée, la navette revient sur terre et atterrit comme un avion.

La navette spatiale

Le poste de pilotage et l'espace habitable sont à l'avant de la navette. La soute occupe le centre de l'appareil. Une fois que la navette est dans l'espace, la soute peut s'ouvrir. Celle que tu vois ici contient un télescope et un laboratoire spatial.

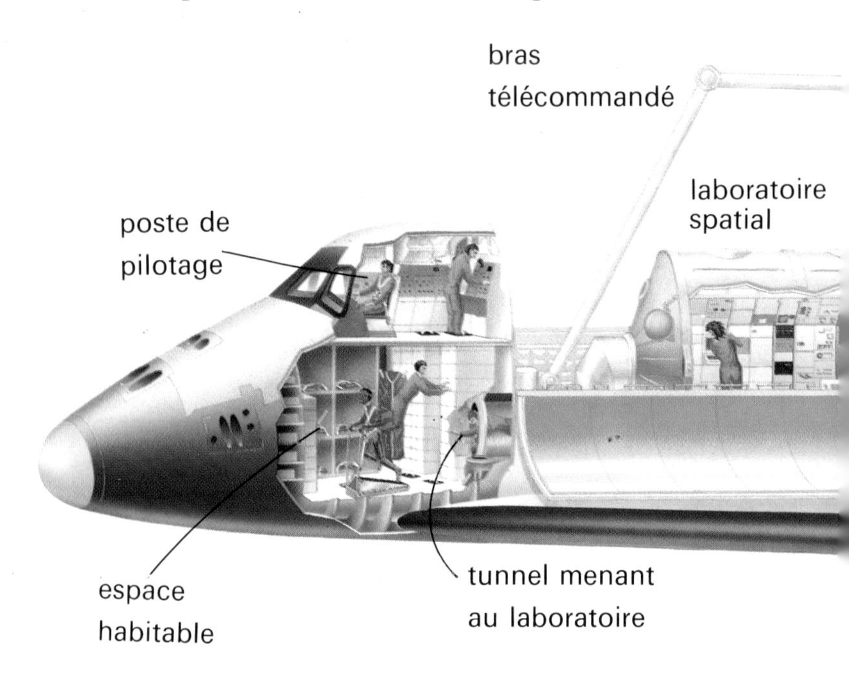

Regarde, un des astronautes fait une expérience dans le laboratoire. Un autre travaille au-dessus du télescope. Il est retenu par un bras télécommandé. Sinon, il se perdrait dans l'espace...

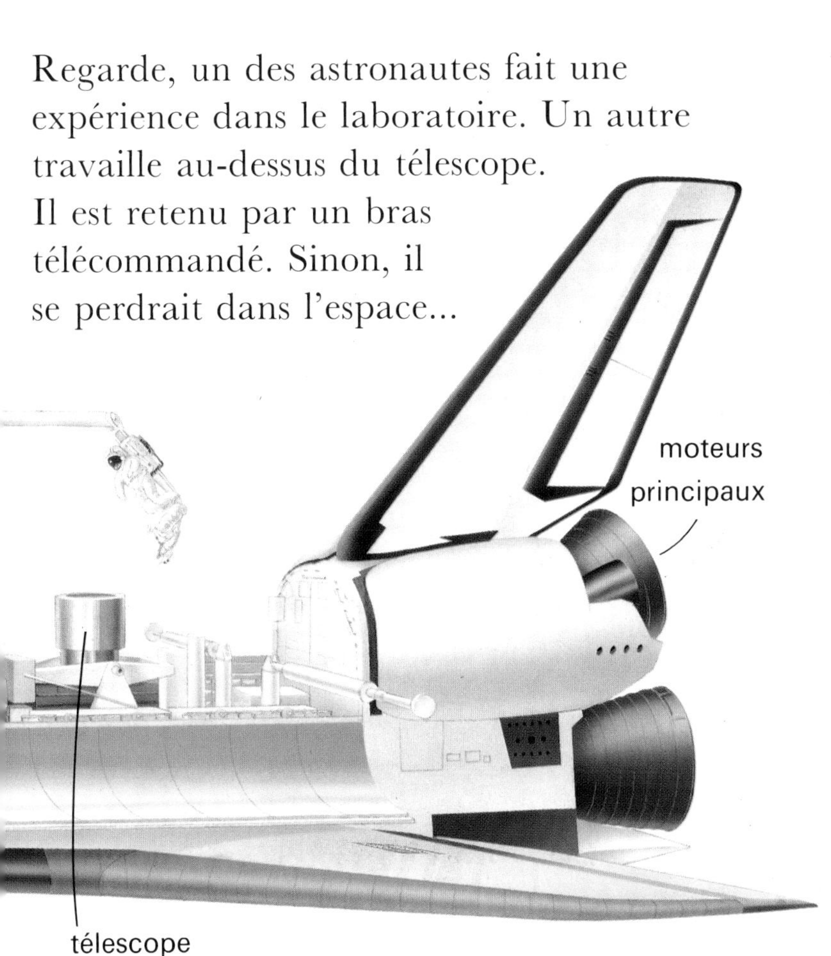

Des petits moteurs-fusées permettent à la navette de modifier sa trajectoire.

La vie dans l'espace

Dans l'espace, on est en apesanteur. Aussi, dans la navette, les astronautes doivent s'attacher pour ne pas flotter. C'est le cas lorsqu'ils font des exercices physiques ou lorsqu'ils dorment dans leur sac de couchage.

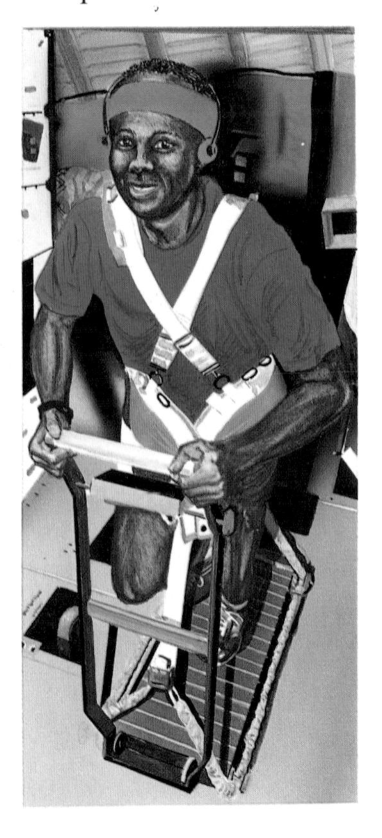

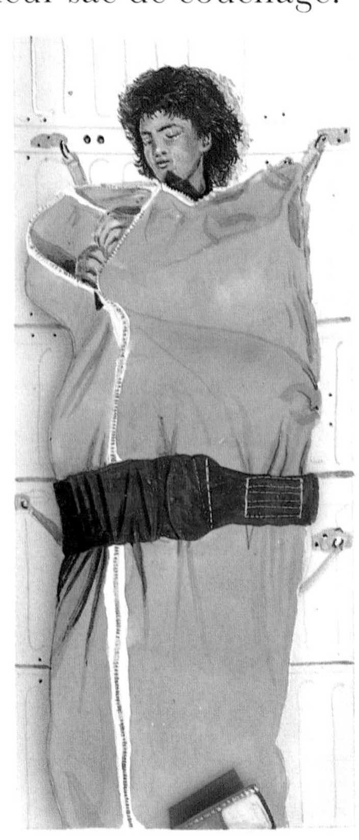

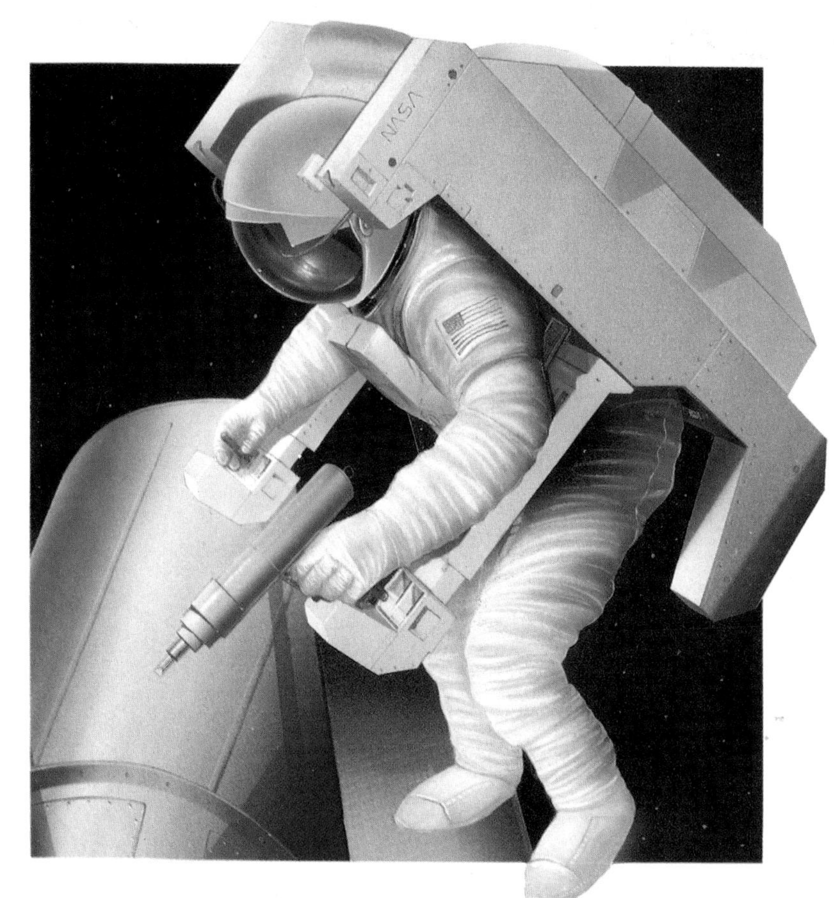

Comme il n'y a pas d'air respirable dans l'espace, les astronautes doivent porter des scaphandres spatiaux. Ils peuvent aussi se déplacer autour de la navette dans des modules de manœuvres télécommandés, propulsés par des mini moteurs-fusées.

Sais-tu que...

L'humanité est entrée dans l'ère de l'espace en 1957 avec le lancement du premier satellite artificiel, Spoutnik I.

Le premier homme à voyager dans l'espace, en 1961, fut le Soviétique Iouri Gagarine.

Les astronautes américains Neil Armstrong et Edwin Aldrin furent les premiers hommes à marcher sur la Lune. Leur vaisseau spatial Apollo XI s'y posa le 21 juillet 1969.

En 1977, les Américains ont lancé une sonde spatiale automatique, Voyager II, destinée à l'exploration des planètes lointaines. Elle nous a déjà renvoyé des images de Jupiter, Saturne, Uranus et Neptune, et son voyage continue...

Cherchons de A à Z